Bordar flores
con cintas de seda

Dedicatoria

Para Christian, Alexandria, Rebecca
y Victoria, nuestros nietos tan
especiales.

Bordar flores
con cintas de seda

32 proyectos explicados paso a paso y con gráficos en color

Ann Cox

Editora: Eva Domingo

Título original: *A-Z of Silk Ribbon Flowers*.
Publicado por primera vez en inglés en Gran Bretaña por Search
Press Limited, Wellwood, North Farm Road, Tunbridge Wells, Kent
TN2 3DR

© 2009 del texto *by* Ann Cox
© 2009 de las fotografías y el diseño *by* Search Press Ltd.
© 2012 de la versión española
   by Editorial El Drac, S.L.
   Marqués de Urquijo, 34. 28008 Madrid
   Tel.: 91 559 98 32. Fax: 91 541 02 35
   E-mail: info@editorialeldrac.com
   www.editorialeldrac.com

Fotografías: Debbie Patterson, Search Press Studios; y Roddy Paine
Photographic Studios
Diseño de cubierta: José María Alcoceba
Traducción: Ana María Aznar
Revisión técnica: Esperanza González

ISBN: 978-84-9874-250-3
Depósito legal: M-4.523-2012
Impreso en Artes Gráficas COFÁS
Impreso en España – *Printed in Spain*

Nota del editor
Todas las fotografías paso a paso de este libro corresponden
a la autora Ann Cox, demostrando el modo de hacer las flores
con cintas de seda. No se han utilizado modelos.

Agradecimientos

Mi agradecimiento a ti, Roz Dace, por haber
creído en mis ideas, por haberme encargado
este libro. Gracias muy especiales a
Katie Sparkes, mi editora, no solo por su
entusiasmo ante el desarrollo de nuevas
ideas y técnicas, sino también por su
infinita paciencia y su buen humor.
Es la mejor.
A Juan y Marrianne, quienes hicieron este
precioso libro, y por último y no menos
importante, al estupendo equipo de
Search Press, que nos ha apoyado a todos.

Índice

Las flores 42

Introducción

Al igual que mis anteriores libros, este ha sido una maravillosa aventura. Como en un largo viaje, planeé la ruta, los lugares que debía visitar y las cosas que podía hacer y luego traté de meterlo todo en una maleta… o en este caso, en un libro. Sin embargo, esta vez iba a trabajar con mis flores preferidas, a tamaño real, ¡pero no sabía cuántas flores preferidas tengo! Así que traté de producir una colección en la que emplear unas técnicas que permitieran a otros bordadores no solo reproducirlas sino aprovecharlas, junto con las ideas, para realizar las flores de su elección.

Este libro es para todos los que sientan un estremecimiento, un momento mágico, al ver la curva de un pétalo o la forma de una hoja; a los que al contemplar una flor o un ramo, sientan deseos de captarlos en un bordado. Ahora pueden hacerlo, y sin necesidad de tener experiencia en bordar —a veces un pétalo o una hoja consisten en un único punto bordado con cinta—. He ordenado además los modelos de flores por grado de dificultad, de modo que ✿ una flor de color sea lo más fácil y ✿✿✿ tres flores de color lo más difícil. Todo cuanto pido es que se sigan las instrucciones paso a paso y se tenga un poco de paciencia al colocar y dar forma a cada una de las puntadas. No es tan difícil como pueda parecer: la naturaleza tridimensional de este tipo de bordado va dando forma a las flores y al mismo tiempo se puede controlar con la tensión de las puntadas. Las cintas de seda se encuentran en el mercado en una gran variedad de anchos y en multitud de colores, y es un material que se maneja y adapta muy bien.

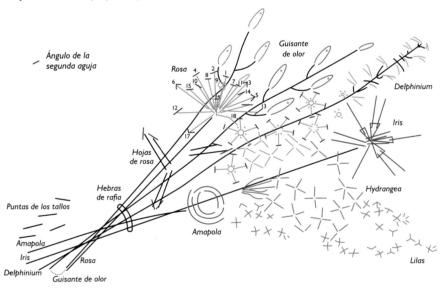

Plantilla del ramo de la página siguiente, reproducida a un 40% de su tamaño real.
Para ampliarla, fotocopiarla al 250%. Para las instrucciones sobre cómo transferir el dibujo a la tela de fondo, ver página 20.

Ramo de flores rosas, moradas y azules recogidas en mi jardín. Todas estas flores se pueden recrear con los modelos de este libro.

Los métodos tradicionales de bordado utilizan hilos de cualquier grosor y textura, pero todos básicamente redondos. La cinta es aplastada, como una tela, y eso brinda al bordador la posibilidad de lograr un efecto tridimensional totalmente único. Solamente la cinta de seda pura se puede enhebrar y realizar con ella puntos tradicionales de bordado para confeccionar las flores de este libro. Antes hay que aprender unas cuantas normas y técnicas básicas, propias del bordado con cintas de seda, sobre todo si no se conocen mis métodos de trabajo. Por eso pido que antes de empezar se dediquen unos momentos a leer las técnicas de las páginas 10 a 41. Es fundamental utilizar el tamaño exacto de la aguja de chenille, de ojo grande y punta fina, con la cinta del ancho adecuado y saber cómo, dónde y cuándo se anclan las puntas de la cinta, para que se convierta en un hábito. Todo esto no debe disminuir el entusiasmo, sino mejorar el entendimiento de cómo se comporta la cinta y facilitar el bordado de las flores para que el resultado sea más satisfactorio.

El bordado con cintas de seda permite realizar flores en tres dimensiones. Las agujas sirven tanto para coser como para dar forma a los pétalos y las hojas y reproducir la flor real.

Una cosa que he aprendido con los años es que a muchos bordadores les parecía que pintar la tela de fondo y las cintas era algo fuera de su alcance. Aplicar pintura sobre una superficie plana y otorgarle realismo está normalmente reservado a los artistas, pero yo animo encarecidamente a intentarlo. Prometo que, en cuanto se pruebe a pintar, nunca se puede renunciar a hacerlo. Quienes bordan con cintas de seda tienen sobre los pintores la ventaja de que su obra es una versión de la flor en relieve, y por eso saben mejor dónde deben aplicar la pintura.

La seda pura posee un brillo único. Ella sola crea luces y sombras, es muy fácil de pintar y se puede colorear antes o después de trabajar con ella. Basta un toque de pintura en el borde de un pétalo o en la nervadura de una hoja para dar vida a un bordado. Pintar la tela de fondo con una aguada ligera o sugiriendo unas hojas, por ejemplo, aporta profundidad al bordado terminado. Los colores deben quedar muy pálidos; siempre se puede añadir más color, pero es difícil eliminarlo. Aquí también se deben seguir unas normas básicas, que se explican detalladamente en el libro. Hay que utilizar el tipo adecuado de seda o de pintura y "fijarlo" con plancha en posición intermedia. No hay que tener miedo a mezclar distintos tipos de pintura; yo lo he hecho muchas veces, pero lo más importante es probar los colores en un trocito de cinta o de tela antes de aplicarlos a la labor.

La cinta de seda se puede pintar antes de bordar (arriba) o después (abajo).

Todas las flores del libro están reproducidas a tamaño real, pero quienes hayan utilizado mis anteriores libros y conozcan mis métodos de trabajo, saben que cualquier flor se puede reducir con solo emplear una cinta más estrecha. De este modo se disminuye el tamaño de la flor, pero hay que hacer el resto de la composición a escala y por eso recomiendo bordar antes una flor de muestra en un retal de tela.

Cualquiera que sea el modelo o tamaño de flor que se vaya a bordar, siempre se aplican los mismos principios. Como bien saben mis alumnos, el secreto está en observar la flor al natural y en fijarse en los detalles. Por ejemplo, los tallos laterales se hacen más finos que el tallo principal, y los tallos pequeños que unen las hojas o los capullos a los tallos laterales, se hacen más finos aún. Hay que observar la forma de los estambres en el centro de la flor o el modo en que va cambiando el color de los pétalos hacia el centro. Estos detalles aparentemente insignificantes son los que determinan un buen bordado, y lo mejor de todo es que no hay dos piezas que sean exactamente iguales.

Espero que estas páginas animen a reunir unas cintas de seda, unas agujas y unos hilos y a empezar a bordar una flor. Conforme se adquiera práctica, se podrán desarrollar las flores que más gusten, o quizá adaptar los modelos para darles un aire victoriano, por ejemplo, o contemporáneo. Puede que incluso se lleguen a inventar flores para lograr un efecto abstracto.

Cada proyecto incluye instrucciones paso a paso que van guiando con precisión por cada etapa del bordado, además de una plantilla (a la mitad de su tamaño real) y de una lista de cintas, telas, hilos y pinturas utilizados. En las páginas 10 a 13 se detallan otros materiales y equipo necesarios.

Espero que todos disfruten con este libro y que suponga una aventura tan fascinante como lo ha sido para mí. Como las grandes aventuras, no hay límite en su recorrido. No hay que tener miedo a experimentar, a adaptar ideas y, sobre todo, a divertirse. ¡Feliz bordado!

Las instrucciones para la Aquilegia se encuentran en las páginas 44-45. Esta bonita flor se ha confeccionado con cinta de seda amarilla y verde, que se pintó antes de bordar los pétalos a punto raso y punto de cinta, y los espolones a punto raso retorcido. Las puntas de los estambres se pintaron de naranja, y los centros de los pétalos amarillos, de naranja suave antes de añadir los tallos y las hojas para completar el bordado.

Materiales

Para empezar a bordar con cintas de seda, lo único que hace falta son cintas de seda, una tela y una aguja de chenille del tamaño adecuado al ancho de la cinta que se vaya a utilizar. No se precisa la totalidad de los artículos que figuran en las páginas siguientes, pero todos tienen distintos usos y se pueden ir añadiendo a los materiales conforme se avance. Es posible que ya se tenga gran parte de lo necesario, y cualquier artículo se encuentra fácilmente en buenas mercerías y a través de internet. Conviene coleccionar hilos, telas interesantes y fotos de revistas o tarjetas como fuente de inspiración.

Las cintas

Las cintas de seda pura se presentan en una gran variedad de anchos. Se utilizan más las de 2, 4, 7 y 13 mm. Alguna vez uso también una cinta de 32 mm de ancho, por ejemplo para la Zantedeschia de la página 124. Existe además una amplia variedad de colorido, aunque no todos los colores están disponibles en todos los anchos. Cada color se identifica con un número y es una buena idea conservar una pequeña muestra de cada cinta y anotar el número de color sobre ella para tenerla como referencia, aunque hay que contar con que las tintadas pueden variar ligeramente. Es probable que el vendedor se ofrezca a casar el color y buscar entre sus paquetes y restos los colores que convengan a los bordados. La cinta de seda es lavable a baja temperatura, a mano o en un programa delicado.

2 mm

4 mm

7 mm

13 mm

2 mm

4 mm

7 mm

13 mm

Cada uno de los Lilium de arriba se ha bordado de igual modo, pero con cinta de distinto ancho. Están reproducidos a tamaño real.

Conservar las cintas en cajas para que no se enreden. Guardar siempre los trozos sueltos, de más de 2,5 cm, en otra caja y utilizarlos primero, antes de cortar otra tira. Usar tijeras pequeñas, de punta fina, y cortar la cinta en diagonal. De este modo se evita que esta se deshile y además permite enhebrarla mejor.

Las telas

Lo mismo que un artista elige para dibujar un tipo especial de papel, yo he utilizado en el libro una tela de lino/algodón de grosor intermedio, para mayor consistencia. La cinta de seda se puede bordar sobre cualquier tela, como seda, algodón, lino, percal, lana, punto a máquina o incluso cartón, siempre que la tela soporte el tipo y grosor del bordado y que la aguja adecuada al ancho de la cinta pueda atravesar la tela libremente (a veces habrá que hacer antes un agujero con un punzón). Por ejemplo, bordar con cinta de 13 mm de ancho y una aguja grande del n.º 13 sobre una seda habutai fina requiere trabajar con mucho cuidado, sobre todo para ocultar las puntadas de anclaje por detrás del bordado. Yo aconsejo trabajar siempre sobre una tela que resista el tiempo y la manipulación necesarios para realizar el bordado.

Los hilos

Hace falta una selección de hilos de bordar de varias hebras para coser la cinta a la tela de fondo, para fruncir la cinta y para formar tallos y centros de flor. Como norma general, se utiliza una sola hebra de hilo del color de la tela para anclar la cinta a la tela, pero para fruncir la cinta empleo una sola hebra del color de esta. Otros tipos de hilo de distinto grosor y textura se usan para los tallos y los centros de las flores, como algodón perlé, algodón mouliné, cordel, lana y tiras de cuero.

Para todos los bordados del libro he utilizado una tela de fondo de lino/algodón de grosor intermedio.

Consejo

Al calcular la cantidad de tela necesaria para un bordado, dejar un espacio razonable alrededor del bordado y, si se piensa enmarcar la labor, añadir otros 5 cm más a cada lado. Las cantidades de tela indicadas para cada diseño del libro tienen en cuenta el montaje y enmarcado y se pueden ajustar si se desea.

Algunos de los colores de hilo de bordar de varias hebras que existen en el mercado.

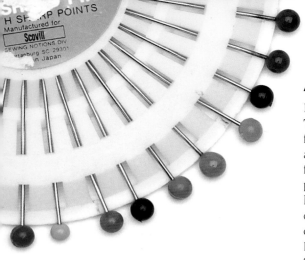

Agujas y alfileres

Para bordar con cintas de seda solamente se utilizan agujas de chenille. Tienen el ojo grande, apto para el ancho de la cinta, y la punta fina, que es fundamental. Es importante usar siempre el tamaño de aguja adecuado al ancho de la cinta que se emplee. La aguja debe perforar la cinta fácilmente y formar un agujero en la tela lo bastante grande como para que la cinta pase por él sin dañarla, pero lo suficientemente pequeño como para sujetar bien la cinta y poder controlarla. Yo solamente utilizo tres tamaños de aguja de chenille: el más fino, n.º 24, para cintas de 2 mm; el intermedio, n.º 18, para cintas de 4 y de 7 mm, y el grande, n.º 13, para anchos de cintas de 13 y 32 mm. Empleo una aguja de crewel del n.º 8 para hilos de bordar y de fruncir. Siempre guardo aparte las agujas de bordar con cintas, separadas de las demás agujas, para no tener que buscarlas y evitar usar, inadvertidamente, una aguja de tapicería que podría dañar la cinta al atravesarla.

También se necesitan alfileres para sujetar la cinta ya bordada mientras se pinta, aunque debe evitarse atravesar con ellos la cinta. Los mejores son los alfileres con cabeza de vidrio.

2 agujas de chenille del n.º 13 (para cintas de 13 y de 32 mm)

2 agujas de chenille del n.º 18 (para cintas de 4 y de 7 mm)

2 agujas de chenille del n.º 24 (para cintas de 2 mm)

2 agujas de crewel del n.º 8 (para hilos de bordar)

Bastidores de aro y de marco

El bordado con cintas, como casi todos los tipos de bordado, se hace con la tela tensada sobre un bastidor. Bordar con cintas es distinto a bordar con hilo, porque al tirar de la cinta por la tela, esta tiende a aflojarse. El tipo de bastidor depende del tamaño del bordado y, a veces, del tipo de la tela de fondo. Para los proyectos más pequeños, los bastidores de plástico flexible me resultan muy prácticos, porque mantienen la tela tensada sin estirarla. Para bordados grandes, conviene mantener la tela fija en el marco hasta haber terminado el bordado; por este motivo son mejores los bastidores de marco de madera ajustables (cuadrados o rectangulares), en los que la tela se sujeta con alfileres para seda. Es aconsejable hilvanar una tela alrededor de la zona a bordar para evitar ensuciar los bordes de la tela al trabajar.

Cuando se trabajen tejidos de lana, hay que tener cuidado de no estirarlos y deformarlos. Se utiliza un marco de madera, redondo o rectangular de tipo ajustable, que se forra con unas tiras de tela para almohadillarlo. Se sujetan esas tiras y se coloca el tejido sobre ellas, tensándolo pero sin deformarlo. Cuando no se esté bordando, es importante retirar la tela del bastidor para evitar que se dé de sí.

Consejo

Al elegir el bastidor adecuado para el bordado, se corta primero la cantidad de tela necesaria (ver página 11) y se comprueba que el bastidor sea lo bastante grande para que la tela quepa en él, dejando al menos 2,5 cm de margen alrededor del motivo. Si se va a bordar sobre una pieza de tela especial, tan pequeña que no quepa en un bastidor, se puede coser una tela extra alrededor.

Equipo de pintar

Son dos los tipos básicos de pintura que se utilizan en los bordados con cintas de seda: pintura para seda y para tela. Las dos se pueden fijar con la plancha a temperatura media y así es posible lavar la labor. La pintura para seda es muy fluida, como agua, se extiende con facilidad y rápidamente sobre la tela de seda y es perfecta para sombrear pétalos y hojas. También la he empleado para sombrear fondos de otras telas, siempre que sean de fibras naturales, aunque para ellos se suele usar pintura para tela. Esta otra pintura es más espesa que la pintura para seda, conserva la huella de la pincelada y no se extiende a no ser que se diluya mucho con agua.

Para empezar, se necesitan solo unos pocos colores de base: la mayoría de los demás se pueden obtener mezclando los básicos. Conviene disponer de algunas pinturas para seda: azul marino, rojo cárdeno y magenta para lograr tonos morados muy bonitos, y lo ideal sería tener dos amarillos, uno primario para hacer un verde vivo y uno botón de oro para tonos más musgo. También utilizo a veces el frambuesa. Las pinturas para tela que más uso son el rojo cárdeno, el amarillo primario y botón de oro, el rojo y el azul cobalto.

Con frecuencia mezclo pintura para tela y para seda con el fin de obtener el color adecuado; por ejemplo, mezclo la pintura para seda azul marino con un amarillo para tela y conseguir así un verde intenso, y he aprendido que es el espesor de la pintura lo que determina que se extienda sobre la tela y en qué medida. La pintura para tela es estupenda para marcar las finas rayas de las nervaduras y poner puntos de color en los pétalos y las hojas, pero siempre hay que probar en un resto de cinta de seda. La gutapercha sirve de barrera para que no se corra la pintura, pero por su textura es difícil de emplear para pintar líneas finas.

Se necesita además un azulejo blanco liso o un platito en el que mezclar la pintura; pinceles, incluidos uno pequeño y uno mediano ásperos, un pincel brocha de borde recto y uno fino y otro mediano de punta fina, redondos. Con un secador de pelo se acelera el proceso de secado y así se evita que la pintura se extienda sobre la cinta de seda o sobre la tela. También son muy útiles unos trocitos de esponja natural para pintar ligeramente un follaje de fondo, aunque sirve un cordel de cocina (ver Ursinia, página 112).

Otros materiales y equipo

Aparte de los mencionados, hacen falta unas tijeras pequeñas de punta fina, tijeras para tela, tijeras para papel, un lápiz de punta fina, una regla o cinta métrica, una plancha, un secador de pelo, hilo de hilvanar de algodón y un trozo de cera o de jabón seco para encerar los hilos antes de bordar tallos o estambres. Un tarro de tapadera con agua y tarritos con tapadera para guardar agua y mezclas de pintura son también útiles. Además se necesitan servilletas de papel, bastoncillos de algodón, palillos, una almohadilla de espuma y un tablero de médula para pintar sobre él flores y hojas, distintos tipos de cordel y cuerda para hacer los tallos y las ramas, gutapercha transparente, agujas de tejer medianas (para dar forma a los estambres), alicates pequeños de punta fina, relleno (para dar realce a los pétalos), entretela, pinzas, alambre de florista forrado y pegamento.

Para todos los proyectos de este libro se necesitan tijeras pequeñas de punta fina, tijeras para tela y para papel, un lápiz de punta fina, una regla o cinta métrica, una plancha, un secador de pelo, hilo de hilvanar de algodón y un trozo de cera o jabón seco. Los demás artículos de la fotografía se pueden ir adquiriendo conforme nos vayan haciendo falta, aunque muchos seguramente se tienen ya en casa.

Pintar las cintas

Aunque existen muchos colores de cintas de seda, si se pintan se pueden matizar y destacar los pétalos y las hojas, marcar nervaduras e introducir sutiles variaciones de tono y color para reflejar mejor la asombrosa variedad de plantas que ofrece la naturaleza. Esto significa también que cada labor será siempre única.

La seda pura es una fibra natural, fácil de pintar. Generalmente se utiliza pintura para seda, pero a lo largo del libro se puede comprobar que a veces también he empleado pintura para tela. Las cintas se pueden pintar antes de bordar con ellas. Una vez pintadas, es posible plancharlas a temperatura media para que sean lavables. Las pinturas para seda y para tela también sirven para pintar las cintas ya bordadas, aunque en este caso no se pueden fijar con plancha. La principal diferencia entre la pintura para seda y la pintura para tela es la siguiente: la pintura para seda es muy fluida, como el agua, y por eso es perfecta para sombrear la cinta, mientras que la pintura para tela, más espesa, es mejor para pintar líneas finas como nervaduras o para poner puntos de color en el centro de una flor, donde es fundamental que no se extienda la pintura.

Mezclar pinturas

Para obtener una amplia gama de colores y tonos bastan unas pocas pinturas. Yo utilizo el azul marino de pintura para seda mezclado con un amarillo primario o botón de oro para lograr así dos tipos de verde, y añado un toque de rojo para un verde tirando a marrón. El rojo con un poco de amarillo da muchos matices de naranja, y el magenta mezclado con azul da unos lilas, malvas y morados preciosos. Empleo pinturas para tela opacas: blanco, amarillo primario y botón de oro, rojo cárdeno y azul cobalto. Los colores se pueden diluir con un poco de agua para que resulten más pálidos: siempre mezclo los colores para que queden más claros de lo que creo que voy a necesitar, porque es más fácil añadir color que quitarlo. No hay que tener miedo a experimentar con los colores, pero siempre se deben probar antes en un resto de cinta igual a la que se esté utilizando en el bordado. Asegurarse de dar a la pintura la consistencia adecuada —lo bastante fluida para poder aplicarla fácilmente sobre la cinta o, si se trata de añadir detalles, lo bastante espesa para que no se extienda—. Es preferible mezclar los colores sobre un azulejo liso, blanco o crema pálido. Cubrir la pintura con la tapa del bote para que no se seque.

Consejo

Hay que tener cuidado al pintar una cinta ya bordada para que el color no se extienda a la tela de fondo (ver páginas 16-17). Humedecer solamente la cinta, sin mojarla, y tomar un poquito de pintura cada vez con el pincel. Dejar de aplicar la pintura a 3 o 4 mm de donde se une la cinta con la tela. Un secador es de gran utilidad para acelerar el secado de la pintura, evitando que esta se extienda.

Estas margaritas ilustran la gama de tonalidades que se pueden obtener utilizando distintos colores de cinta y de pintura. Las margaritas 1, 3 y 4 se han bordado con cinta rosa de 4 mm pintada con tonos cada vez más intensos de pintura para seda rosa. La flor 2 se ha bordado con cinta rosa oscuro sin pintar.

Aquí se ven algunos de los efectos que se pueden lograr con la pintura. La margarita 1 se ha bordado con cinta pintada a manchas (ver página 15) para conseguir un efecto parcheado; en el centro de la flor 2 se ha pintado una fina línea de gutapercha (aunque también se podría hacer con pintura blanca) y se ha dejado secar antes de pintar los pétalos en un rosa más intenso; en la flor 3 los pétalos se han sombreado únicamente en el centro; y en la flor 4 se han sombreado en la punta, añadiendo un toque de color alrededor del centro.

Pintar las cintas con pintura de seda antes de bordar

Si las cintas se pintan antes de bordar con ellas, se pueden colorear de distintas maneras, como se demuestra más abajo, para obtener una gran variedad de acabados con la gama de color o tonalidad que se desee. Una vez pintada la cinta, se deja secar colgándola de un extremo y luego se plancha a temperatura media para fijar el color. De este modo se pueden pintar y sombrear los pétalos y las hojas, después de bordar, para afinar los detalles.

Para las técnicas que se describen en las páginas siguientes se necesita: un pincel pequeño, uno mediano y uno grande de punta recta, un pincel de punta fina y mediana, un azulejo liso, un tarro con agua, trozos de esponja natural y, naturalmente, pinturas para pintar seda.

Consejo
Si se aplica accidentalmente demasiado color, se retira pasando un papel de cocina absorbente a lo largo de la cinta. También se puede planchar la cinta poniéndola entre dos hojas de papel absorbente y con la plancha caliente, o mojándola en agua limpia.

Aplicar pintura a manchas

Se pinta a manchas aplicando la pintura al azar sobre una cinta ligeramente arrugada en forma de bola y humedecida con agua. Para lograr un efecto más marcado, se aplica el color sobre la cinta seca, añadiendo unas gotas de agua si hiciera falta. Al colorear una cinta arrugada con dos tonos distintos, se obtiene una amplia gama; una cinta pintada de rosa y azul, por ejemplo, queda muy bien para bordar hortensias o lavanda.

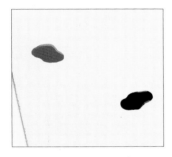
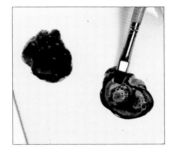

1. Para colorear una cinta con dos tonos de morado se pone un poco de pintura para seda azul y magenta en cada esquina de un azulejo.

2. Con un pincel mediano de punta cuadrada, se mezcla un color sobre otro para obtener dos tonos de morado. Diluir con un poco de agua para conseguir el tono deseado.

3. Arrugar la cinta formando una bola floja y aplicar al azar los tonos de pintura morada.

4. Limpiar el pincel y, si hiciera falta, dejar caer unas gotas de agua en los espacios secos para fundir los colores.

Fundido

Para lograr un efecto más sutil hay que estirar la cinta, humedecerla y aplicar luego la pintura. De este modo, los colores y tonos se funden unos con otros. Los colores se mezclan siempre antes de humedecer la cinta para que esta no se seque.

1. Sujetar el extremo de la cinta en un bastidor con un peso encima, como un libro, tensarla bien y humedecerla pasando sobre ella un pincel de punta cuadrada mojado en agua limpia.

2. Con un pincel mediano, aplicar ahora la pintura. Empezar por un extremo y pasar el pincel hasta el otro, barriendo la cinta y levantando el pincel al llegar al otro extremo. De este modo se obtiene un tono sutilmente fundido, de oscuro a claro, a lo largo de la cinta.

3. Para fundir el color de un borde a otro a lo ancho de la cinta, se humedece esta y luego se pasa la pintura por un borde, utilizando un pincel pequeño de punta cuadrada.

La cinta de arriba se ha pintado para que el color se vaya aclarando de izquierda a derecha (ver paso 2). La cinta de abajo se ha pintado por el borde de arriba y el color se va aclarando hacia el borde inferior (ver paso 3).

Levantar un color

Se puede conseguir un efecto menos moteado, más matizado, pintando la cinta a lo largo y dejando caer sobre ella gotas de agua limpia para levantar el color. También se puede utilizar un pañuelo de celulosa limpio y seco.

1. Humedecer primero la cinta y aplicar la pintura uniformemente a lo largo de esta.

2. Con la pintura aún húmeda, dejar caer unas gotas de agua limpia. De ese modo se levanta el color, formando un moteado.

Utilización de gutapercha

La gutapercha actúa como barrera de la pintura y del agua. Se emplea para evitar que la pintura se extienda, por ejemplo para que un borde de la cinta conserve su color original, o para formar una vena central sin pintura en un pétalo o una hoja.

1. Aplicar gutapercha directamente del tubo a lo largo del borde y dejar secar.

2. Aplicar la pintura, llegando al borde de la gutapercha.

Pintar las nervaduras de una hoja

Con pintura para tela, que es más espesa que la pintura para seda, se puede pintar una raya fina sobre seda sin miedo a que se corra, pero siempre se debe probar antes en un resto de cinta de seda. Con un pincel de punta fina, se empieza a pintar en la base de la nervadura central, se va extendiendo la pintura hacia la punta y luego se pintan las nervaduras laterales. Estas nervaduras son de color variable: las de la Fuchsia son rojas, como en el ejemplo de más abajo, mientras que las de otras flores, como el Tropaeolum, tienen las nervaduras más claras.

1. Mezclar la pintura para tela hasta obtener el color adecuado y, con un pincel limpio y seco de punta fina, tomar un poco de pintura. Dibujar una raya fina desde la base de la hoja, extendiéndola hacia la punta.

2. Añadir las nervaduras laterales a partir de la nervadura central y terminar antes de llegar al borde de la hoja. Dejar secar.

3. Utilizar el extremo del ojo de una aguja gruesa para levantar la cinta por encima de la tela, humedecerla con agua limpia y sombrearla con pintura para seda según se desee. Las nervaduras seguirán resaltando.

Las nervaduras finas y claras se hacen pintándolas primero con pintura blanca para tela y dejándolas secar. Luego se humedecen y, con pintura para seda, se aplica otro color sobre toda la superficie de la hoja.

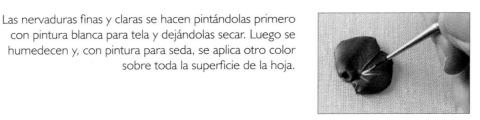

Para obtener una nervadura central oscura y marcada en una hoja larga y fina, se pinta la cinta antes de bordar con ella la hoja. Doblar la cinta por la mitad a lo largo y planchar el doblez antes de pintar.

1. Marcar con plancha un doblez a lo largo de la cinta.

2. Sujetar la cinta doblada prendiéndola al borde de una tela extendida en el bastidor, mantenerla tirante y humedecerla con un pincel de punta cuadrada.

3. Humedecer la cinta por los dos lados.

4. Pasar el color a lo largo del doblez, utilizando un pincel de punta fina, y secar con el secador.

5. Planchar la cinta abierta.

Pintar pétalos de flor

Los pétalos se pueden pintar por su borde exterior, como en este ejemplo, o desde la base hacia el borde, dependiendo del tipo de flor. En ambos casos, utilizar un pincel de punta fina y aplicar un color pálido, porque siempre se podrá añadir más. Probar antes en un resto de cinta.

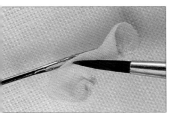  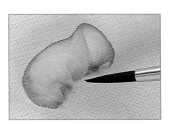

1. Sujetar el pétalo separado de la tela con el extremo del ojo de una aguja gruesa. Con un pincel fino, humedecer el borde superior del pétalo. Evitar que se humedezca la tela de fondo.

2. Con el mismo pincel, aplicar un poco de pintura al borde humedecido del pétalo. Dejar que el color se funda hacia la base de la flor. Repetir si se necesita conseguir un color más intenso.

3. Aplicar color a la base del pétalo siguiendo el mismo método.

Consejo

Para que la pintura no manche la tela de fondo:

- Si es posible, utilizar un secador para secar la pintura rápidamente.
- Aplicar una capa protectora de gutapercha por las dos caras de la tela, alrededor de donde pasa la cinta.

Mientras se pinta, es importante que los pétalos o las hojas permanezcan separados para evitar que otros pétalos, hojas o la tela de fondo se manchen de pintura. Colocar una almohadilla de espuma o una esponja, de unos 8-10 cm de lado por 1 cm de alto, detrás de la flor que se esté pintando y utilizar alfileres de cabeza de vidrio para mantener los pétalos separados, pero evitando siempre pinchar la cinta con los alfileres.

1. Poner una pequeña almohadilla de espuma detrás de la parte de bordado que se vaya a pintar.

2. Pasar unos alfileres de cabeza de vidrio por la espuma para mantener los pétalos que se vayan a pintar separados del resto de la flor y de la tela. No pinchar la cinta con los alfileres.

3. Sujetar el borde del pétalo con la parte del ojo de una aguja gruesa, humedecer con un poco de agua y dejar que se extienda hacia abajo.

4. Aplicar la pintura por el orillo del pétalo y dejar que se extienda hacia abajo, hacia la base de la flor. Repetir si se requiere más color.

Pintar los fondos

Pintando ligeramente la tela de fondo antes de empezar a bordar, se añade otra dimensión a la labor; se logra inmediatamente profundidad y perspectiva. Yo siempre trabajo con telas de fondo de fibras naturales, como seda, algodón o lino, que se pueden pintar con pintura para seda o para tela. La pintura para seda se extiende agradablemente sobre la superficie de la seda creando bellísimos tonos sutiles, mientras que sobre lino o algodón se extiende menos. La pintura para tela, que es más espesa, retiene la forma de la pincelada y es perfecta para tallos y hojas de fondo, aunque también se puede diluir para extenderla mejor.

La margarita de la izquierda está bordada sobre una tela sin pintar; la del centro se ha bordado sobre un fondo coloreado en varios tonos de verde (ver más abajo), y la de la derecha resalta sobre un fondo pintado de verde, con algo de follaje (ver página siguiente).

Un fondo coloreado

Para lograr un sutil fundido de colores en la tela, primero se coloca esta sobre un bastidor de bordar, luego se mezclan varios tonos de color y se aplican al azar con pincel, esponja o incluso con una bola arrugada de tela o de cuerda. Se comienza pintando el fondo algo más claro de lo que se precise y se va añadiendo poco a poco más color. Cuando la pintura se haya secado, se plancha para fijar el color.

1. Sujetar la tela en un bastidor y humedecer el fondo con agua limpia y un pincel ancho de punta cuadrada.

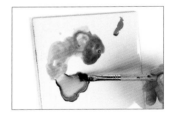

2. Para un fondo verde, mezclar sobre un azulejo liso pintura para seda azul, amarilla y un poco de roja, para obtener varias tonalidades de verde.

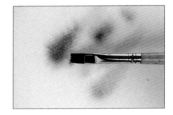

3. Aplicar manchas de color al azar sobre el fondo humedecido. Dejar que la pintura se extienda por sí sola en la tela.

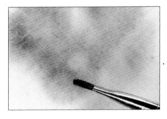

4. Cuando se haya terminado de aplicar la pintura, dejar caer unas gotas de agua limpia para difuminar el color y lograr un efecto sutil y difuminado.

5. Para retirar la pintura en áreas con demasiado color, empaparla con una bola arrugada de papel de cocina.

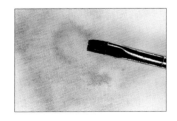

6. Añadir ahora otro color si se desea, aplicándolo de la misma forma y dejando caer unas gotas de agua sobre la pintura para difuminarla, si fuera necesario.

Este fondo moteado se ha obtenido recogiendo un poco de pintura para tela con un trocito de esponja natural ligeramente humedecida y aplicando con ella distintos tonos de verde sobre un fondo seco. Siempre se aplican primero los tonos más claros y se van introduciendo poco a poco los más oscuros. Esta muestra corresponde a una tela de lino/algodón, pero se puede conseguir el mismo efecto sobre seda si la pintura se aplica con suavidad.

Hojas, ramas y follaje de fondo

Si se pintan hojas, ramas y follaje en el fondo, el bordado terminado ganará en profundidad y perspectiva. A la izquierda, se puso primero la rama de cuerda y luego se pintaron unas cuantas hojas pálidas de fondo. Después se bordaron la flor y el follaje del primer término, para lograr una ilusión de conjunto de una rama larga extendida. Comparar esta imagen con la de la página 18 abajo. El fondo moteado sugiere un follaje más denso y alejado, consiguiendo una ilusión de profundidad.

Emplear pinturas para tela al pintar las hojas del fondo y que queden bien definidas, aunque yo suelo obtener verdes muy interesantes mezclando pintura para seda azul marino con pintura para tela amarilla. Procurar que la mezcla quede espesa y probarla antes en un resto de tela para comprobar que no se extiende. Trabajar siempre sobre un fondo seco, echar un mínimo de pintura en el pincel y aplicar las pinceladas con mano ligera; siempre se está a tiempo de añadir más color, pero es difícil quitarlo.

Hojas

 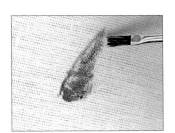  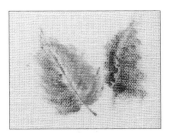

1. Mezclar pintura para seda azul marino con pintura para tela amarilla y un toque de roja, para obtener dos o tres verdes. Pintar una nervadura central, difuminándola hacia la punta, con una sola pasada de un pincel pequeño de borde cuadrado.

2. Pintar suavemente un lado de la hoja dando pequeñas pinceladas curvadas hacia fuera y hacia arriba desde la nervadura central, todas en la misma dirección, para sugerir la forma de la hoja.

3. Pintar el otro lado de la hoja de igual modo. Utilizar los distintos tonos de verde para conseguir un efecto más realista y tridimensional.

Hojas terminadas. Obsérvese cómo las pinceladas, aunque muy ligeras, sugieren una hoja que se curva.

Las hojas presentan formas, tamaños y colores muy variados. Observar siempre las hojas naturales o una fotografía para guiarse.

Hierba

Ramas

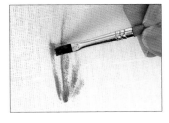 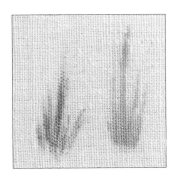 

Pintar las hojas de hierba con pinceladas sueltas, trabajando desde la base de la hoja hacia la punta. Levantar poco a poco el pincel hasta llegar a la punta para que quede una forma afinada.

Hojas de hierba terminadas. Variar el tono y el ancho de las hojas para lograr un efecto más interesante y realista.

Con un pincel fino, dibujar una línea fina, irregular, para los bordes de arriba y abajo de la rama principal y añadir unas ramas laterales y unas ramitas. Aplicar la pintura a manchas y utilizar distintos tonos de verde y de marrón para colorear la rama.

Transferir un dibujo

Antes de transferir el dibujo, cortar la tela a su tamaño (ver página 11) y colocarla en un bastidor o marco de bordado (ver página 12). Si se utiliza un bastidor de marco cuadrado, comprobar que el hilo de la tela quede recto y sujetar la tela con alfileres para seda para no estropearla. Si se tiene previsto pintar el fondo, hacerlo antes de transferir el dibujo.

1. Situar el marco centrado debajo de la tela, tensarla por el centro del ancho y sujetarla con alfileres para seda. Tensarla ahora por el centro del largo y prenderla como antes.

2. Comprobar que el hilo de la tela quede recto y seguir prendiéndola al marco por los lados opuestos; comenzar por los alfileres centrales y seguir colocándolos a intervalos de unos 4 cm.

Marco terminado.

Plantillas

La estructura de las flores bordadas de este libro varía enormemente; algunas, como la Ursinia de más abajo (ver página 112), constan de pétalos hechos con puntadas rasas, mientras que otras, como el Chrysanthemum (página 50), son más complejas. Por eso he incluido una plantilla para cada diseño que se puede transferir a la tela en parte o en todos sus elementos. En las plantillas se indica el comienzo, el final y la dirección de los puntos principales, incluidos pétalos, hojas, capullos y tallos, así como la posición y la inclinación de una segunda aguja con la que controlar la cinta al formar las puntadas. Aunque se han empleado colores para distinguir los diferentes elementos, para transferir el dibujo es suficiente una fotocopia (solo para uso personal) en blanco y negro (ver página 21).

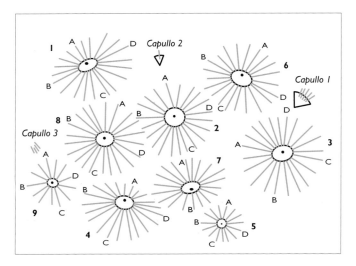

Empezar por fotocopiar la plantilla, ampliándola al doble de su tamaño. Dibujar un borde rectangular por fuera y recortar por esa línea. Centrar la plantilla sobre la tela asegurándose de que quede alineada con el hilo de la tela y sujetarla poniendo un alfiler a cada lado. Al bordar es posible que los bordes de la tela se vayan ensuciando. Hay que lavarse las manos antes, naturalmente, pero también conviene proteger la tela con un marco de tela fina de algodón. Cuando el bordado esté terminado, se guarda el marco de tela para otra ocasión.

1. Cortar un marco para el bordado de un retal de tela. El centro será algo mayor que la plantilla y los bordes tendrán por lo menos 5 cm de ancho.

2. Prender la plantilla en el centro de la tela e hilvanarla junto al borde (sin perforarlo), utilizando una hebra de color claro.

3. Prender el marco de tela encima e hilvanarlo en su sitio. Ya se puede transferir el dibujo.

4. Siguiendo las instrucciones que acompañan a la plantilla, transferir las flores 2 a 5 perforando la plantilla y la tela en los extremos de cada pétalo, con una aguja del n.° 18.

5. Introducir la mina de un portaminas (o de un lápiz afilado) por cada perforación para marcar un punto en la tela de debajo.

Consejo

De vez en cuando hay que levantar la plantilla para comprobar el dibujo o para transferir parte del diseño. Para volver a situarla bien entre los bordes hilvanados, poner unos alfileres en las perforaciones de la plantilla y de las marcas correspondientes de la tela y prender los bordes de la plantilla y la tela con dos alfileres mientras se comprueba o se añade un dibujo.

6. Quitar los alfileres del borde inferior y de los lados de la plantilla, doblarla hacia atrás y sujetarla con un alfiler. Tener cuidado de no desplazar la plantilla porque habrá que volver a colocarla en la misma posición para transferir el resto del dibujo.

7. Sin apretar la mina, dibujar con cuidado los centros de las flores y las líneas que unen los dos extremos de los pétalos marcados como A y D.

8. Volver a colocar la plantilla y transferir el resto del dibujo de igual modo. Retirar la plantilla.

Técnicas básicas con cintas

El secreto de un buen bordado con cintas de seda reside en dominar unas cuantas técnicas básicas que se explican a continuación, y así sacar el máximo provecho del ancho de la cinta y de su lustre en cada puntada. La seda es muy fuerte como fibra, pero una vez tejida en una cinta y cosida se deteriora ligeramente con cada pasada por la tela. Por eso se debe trabajar siempre con cintas cortas y utilizar el tamaño de aguja de chenille adecuado al ancho de la cinta (ver página 12). Yo recomiendo usar tiras de cinta de 33 cm o menos, aunque en algunos proyectos del libro aconsejo otros largos para no desperdiciar cinta.

Cortar y enhebrar la cinta

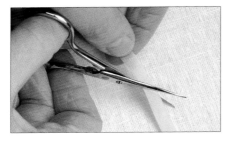  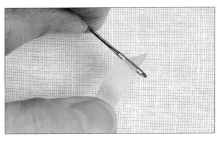

1. Cortar la cinta con tijeras pequeñas de punta fina. Cortar siempre en diagonal para que el canto no se deshile y se pueda enhebrar mejor la cinta. Al extremo cortado en diagonal lo denominamos extremo del principio.

2. Alisar la cinta tirando de ella por debajo de la plancha a temperatura media-caliente. Aunque no siempre es obligatorio, sí vale la pena hacerlo y devuelve a la cinta su lustre original.

3. Enhebrar la cinta pasando el extremo en punta por el ojo de la aguja.

Doblar la cinta para dar forma a un pétalo o a una hoja

Algunos puntos piden que la cinta se doble a lo largo antes de enhebrarla. Se hace así para flores que tienen los pétalos acabados en una punta estrecha y fina, como los de la capuchina.

1. Doblar la cinta por la mitad a lo largo y pasarla por el ojo de la aguja, con el doblez hacia abajo.

2. Pasarla hacia el revés de la tela, sujetando el doblez, y anclarla en su sitio (ver página 23).

Las flores de Tropaeolum (página 108) se bordan a punto raso (ver página 26), empezando por un doblez como se ilustra a la izquierda.

Anclar la cinta

La técnica de anclaje de la cinta ancha (de 7, 13 y 32 mm) en la tela es distinta a la de anclaje de la cinta estrecha (de 2 y 4 mm). Para todos los anchos de cinta se empieza por anclar esta por detrás de donde vaya a ir el primer punto, utilizando un hilo del color de la tela. Evitar siempre cruzar las cintas por el revés, porque al tirar de una de ellas se puede estropear el bordado del derecho. Si fuera necesario, emplear la aguja para hacer un agujero en la tela desde el revés y así encontrar mejor el lugar para pasar la cinta.

Anclar una cinta de 2 y de 4 mm

1. Hacer un nudo simple flojo al final de la cinta.

2. Apretar el nudo deslizando la cinta entre dos dedos para empujar el nudo hasta la punta.

3. Enhebrar la cinta y pasar la aguja por la tela hacia el derecho, de modo que el nudo quede por el revés. Cortar la cinta que sobre.

Anclar una cinta de 7 y de 13 mm

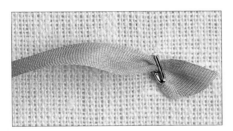

1. Enhebrar la punta del cabo en la aguja y pasar la aguja hacia el revés de la tela.

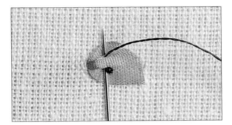

2. Anclar la punta del cabo que queda en el revés de la tela dando dos o tres puntadas pequeñas, según sea el ancho de la cinta (la cinta de 32 mm requiere dos o más puntadas a lo ancho para mantener su forma por el derecho). Utilizar una sola hebra de hilo del color de la tela (aquí he empleado un hilo de otro color para que se distinga).

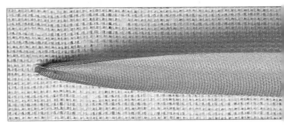

3. Volver la tela hacia el derecho y ver qué forma tiene la cinta que sale por el agujero de la aguja en la tela. Aquí los dos bordes se curvan hacia arriba formando un pequeño canal y queda un pliegue menudo en el borde superior que hay que suprimir.

Consejo

Cuando se trabaje con una aguja grande (del n.º 13), procurar pasarla siempre por entre los hilos de la tela, sin atravesarlos, para no dañar la tela.

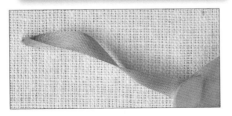

4. Primero girar la cinta sobre sí misma para eliminar el retorcido y que los dos bordes queden doblados hacia abajo.

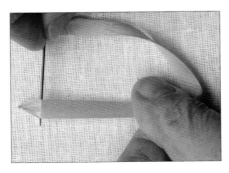

5. Sujetar la cinta tirante y pasar firmemente la parte del ojo de una aguja por debajo de la cinta hasta la punta donde sale de la tela, para "plancharla". Cuando la cinta esté plana en su ancho, dar la primera puntada, aportándole forma y cosiendo como sea preciso.

Controlar la cinta

Es posible que la cinta se retuerza mientras se cose, y entonces hay que alisarla y plancharla (ver página 23). Sin embargo, habrá veces en que la cinta deba estar retorcida, por ejemplo para bordar los pétalos de la Monarda (ver página 82).

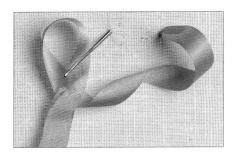

Cinta retorcida, con la aguja pinchada en la tela para hacer un punto raso.

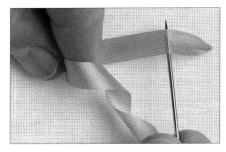

1. Eliminar las vueltas de la cinta donde sale de la tela y plancharla (ver página 23, pasos 3-5) (en esta zona es donde se va a formar el punto, hasta el lugar de sujección de la aguja).

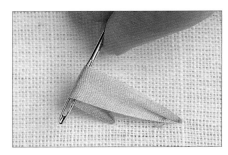

2. Sustituir la aguja de bordar por el extremo del ojo de una segunda aguja para tensar la cinta sobre ella y mantener la tensión al formar el punto.

Rematar un punto

Es importante rematar y cortar la cinta con frecuencia para evitar pinchar con la aguja cualquier tramo de cinta por el revés. La aguja atraviesa la cinta con facilidad, pero luego, al tirar, se deforman los puntos de bordado del derecho. Utilizar siempre una sola hebra de hilo del color de la tela para rematar el extremo de la cinta con unas puntadas. Situar estas puntadas detrás del último punto o puntos trabajados para que no se vean los remates por el derecho de la labor.

Las dos cintas más anchas (de 13 y de 32 mm) deben rematarse casi siempre después de cada puntada. De este modo, los puntos quedan en su sitio y se evita acumular volumen por el revés de la tela y que las puntadas atraviesen la cinta. Es también un método más rápido de trabajar y se aprovecha mejor la cinta.

Dar dos o tres puntadas pequeñas a lo ancho de la cinta, cuidando de no atravesar con la aguja las cintas del derecho de la labor. Emplear una sola hebra de hilo del color de la tela (aquí se ha utilizado de otro color para mayor claridad).

Bordar con cinta de 13 y de 32 mm

Cuando se trabaja con una aguja de chenille grande, del n.º 13, hay que procurar pasar la punta de la aguja por entre los hilos de la tela, moviendo aquella en redondo para agrandar un poco el agujero. Si se utiliza una tela muy fina, aconsejo dar uno o dos puntos en un retalito para comprobar si admite el uso de una aguja tan grande y de una cinta tan ancha. Doblar la cinta para enhebrarla y rematar la punta del cabo, luego usar un bastoncillo de algodón para dar forma al pétalo, como se ve más abajo.

1. Para pasar la cinta por la tela, doblarla por la mitad a lo largo sin marcar el doblez y pasarla por el ojo de una aguja del n.º 13.

2. Por el revés de la tela, abrir la cinta y darle unas puntadas a lo largo de su ancho con un hilo del color de la tela y anclarla directamente por detrás del punto que se vaya a hacer. Aquí se ha utilizado un hilo de otro color para mayor claridad.

3. Para acentuar el pliegue en hueco en la base del pétalo, tensar la cinta y darle forma con un bastoncillo de algodón (es más fácil si se humedece antes la cinta). Para formar otra clase de pétalo, se da forma a la cinta por debajo con el bastoncillo.

4. Dar forma a la punta del pétalo sobre el bastoncillo, tirando suavemente de la cinta hacia el revés.

Corregir errores

El secreto del bordado con cintas de seda reside en sacar partido al ancho de la cinta para realzar el lustre de esta y que los puntos queden sin arrugas. Si se utiliza la aguja del tamaño adecuado (ver página 12) y se siguen las instrucciones de las páginas 22-25, no hay razón para que el bordado no quede perfecto. Ahora bien, a veces se cometen errores y en estas páginas se explica cómo se corrigen los más frecuentes. La mayoría de los problemas se producen al tensar la cinta para formar un pétalo o una hoja. La sensación que produce la cinta al tirar de ella a través de la tela no es igual a la que produce el hilo, por eso hay que vigilar el revés de la tela para evitar tirar demasiado de la cinta y apretar mucho el punto por el derecho. Si hay que deshacer un punto, poner la punta de la aguja en la cinta por donde pasó hacia el revés y levantarla tirando despacio. No pasar nunca el ojo de la aguja por la presilla del punto para levantar la cinta, porque se apretarían los puntos recién bordados y se "plancharían" los pliegues.

Cinta retorcida por el revés de la labor

Si la cinta se retuerce por el revés de la labor, queda enrollada al salir hacia el derecho de la tela (ver también Controlar la cinta, página 24).

Cinta retorcida por el revés de la labor.

Cinta enrollada al salir por la tela hacia el derecho.

1. Con la punta de una aguja tirar ligeramente de la cinta hacia el revés de la tela.

2. Alisar la parte de cinta que va a quedar por el revés, tensándola sobre el ojo de una aguja, luego tirar de nuevo de la parte retorcida hacia el derecho.

Cinta demasiado apretada

Si se ha tirado demasiado de la cinta hacia el revés, queda enrollada formando pliegues y aplastada sobre la tela. No pasar nunca la parte del ojo de una aguja por debajo del punto para levantarlo, porque se apretarían los puntos recién hechos y se "plancharían" los pliegues.

Cinta demasiado apretada al tirar de ella hacia el revés de la tela.

1. Pasar la punta de la aguja por la cinta en el lugar por donde entra en la tela y levantarla un poco.

2. Abrir el punto y tirar suavemente de la cinta hacia el revés sobre el ojo de una segunda aguja para volver a dar buena forma al punto.

Puntos seguidos con cinta

La cinta se trabaja siempre con la técnica de puntos clavados, nunca pasados como una bastilla, para evitar que se retuerza. Cada puntada es como un punto raso.

Si se cose con la cinta como una bastilla, queda retorcida y comprimida (fotografía de la izquierda). Trabajar siempre con la técnica de puntos clavados: atravesar la tela una sola vez con la cinta y tensar cada puntada sobre el extremo del ojo de otra aguja antes de hacer el punto siguiente (fotografía de la derecha).

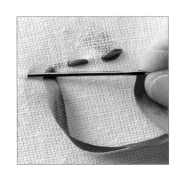 

Punto raso

Es un punto muy sencillo que se presta a numerosas utilizaciones. Como en todos los bordados con cintas, el efecto depende del ancho de la cinta que se emplee, del largo de la puntada y de la tensión de la cinta cuando se forma la puntada sobre el extremo del ojo de una segunda aguja. El punto puede empezar en la base o en la punta de un pétalo o de una hoja. Puede ser una presilla, como en el caso del Delphinium (ver página 56), o dar varias vueltas para curvar el pétalo, como en la Monarda (ver página 82). Lo que hay que saber es que la cinta no se comporta igual en el punto por donde sale de la tela que en el punto por donde entra hacia el revés.

Pétalos y hojas redondeados

Para empezar, anclar la cinta en la base del punto, volver a enhebrarla y pasar la aguja de vuelta hacia el revés en la punta del pétalo o de la hoja (ver también Punto de cinta con presilla, página 31).

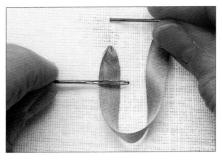

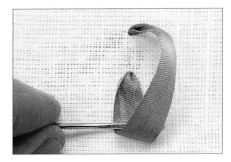

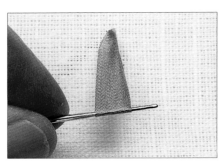

1. Utilizar una segunda aguja para "planchar" primero la cinta (ver página 23, pasos 4 y 5). Mantener la cinta aplastada sobre la tela bajo el ojo de la segunda aguja, luego pasar la aguja con la cinta hacia el revés de la tela.

2. Tirar de la cinta, guiándola sobre la segunda aguja. De este modo se da forma al punto y la cinta se mantiene lisa.

3. Conforme se cierra la presilla sobre la aguja, levantar esta de la superficie de la tela. Mantener la cinta tensada sobre la aguja mientras se tira de ella hacia el revés.

4. Llevar poco a poco la segunda aguja hacia arriba del punto y, manteniendo la tensión de la cinta, tirar de esta por el revés hacia la base del punto. Dejar de tirar en cuanto se haya formado el punto y retirar la aguja para dejar una presilla redondeada arriba.

Punto terminado.

Pétalos y hojas en punta

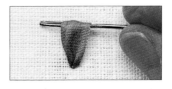

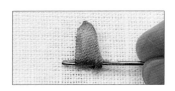

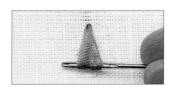

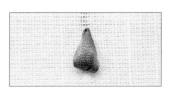

1. Para dar forma a un pétalo o a una hoja puntiagudos, tensar la cinta como antes, pero manteniendo ahora la segunda aguja en la punta del pétalo.

2. Tirar poco a poco de la aguja hacia atrás, hacia la base de la puntada, sin dejar de tensar la cinta.

3. Tirar de la cinta hacia el lado contrario a la base del punto mientras se tensa, para alargar la puntada y formar una punta.

Punto terminado.

Para curvar la punta de una hoja o de un pétalo hacia la derecha, sujetar la segunda aguja con una inclinación de 45° tirando del punto hacia la izquierda, mientras por el revés se tensa la cinta hacia la derecha. Para curvar el punto hacia la izquierda, la segunda aguja se inclina hacia la derecha y por el revés se tira de la cinta hacia la izquierda.

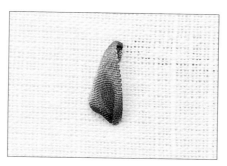

Para curvar hacia la derecha la punta de una hoja o de un pétalo, sujetar la segunda aguja por dentro de la presilla con la inclinación que se ve arriba, tensando el punto hacia la izquierda, y tirar de la cinta por el revés hacia la derecha.

Punto terminado, curvado hacia la derecha.

Para curvar un punto hacia la izquierda, sujetar la segunda aguja en sentido contrario y, por el revés, tirar de la cinta hacia la izquierda.

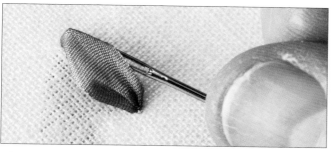

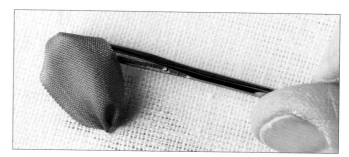

Para marcar aún más la punta restando volumen en la base del punto, tensar la punta del pétalo sobre el ojo de una aguja grande.

Cuando se utilice una cinta ancha (de 13 mm o más), emplear el ojo de una aguja grande del n.° 13 o un bastoncillo de algodón para dar forma a la punta del pétalo.

Consejo

La dirección en que se tire de la cinta por el revés de la tela mientras se hace el punto determina la forma del pétalo o de la hoja terminados.

1. Mientras se tensa el punto tirando de la presilla hacia el otro lado de la base del punto con el ojo de una aguja, se tira de la cinta por el revés de la labor en sentido contrario al punto.

2. Seguir tirando de la cinta. Dejar de tirar cuando el punto esté hecho y retirar la segunda aguja. El pétalo queda con forma redondeada.

Para una punta marcada repetir el paso 2, pero esta vez, en cuanto el punto esté hecho, por el revés de la tela tirar de la cinta hacia atrás, más allá de la parte inferior del punto, y al mismo tiempo desplazar la aguja hasta la base. Así el volumen queda en la base del pétalo.

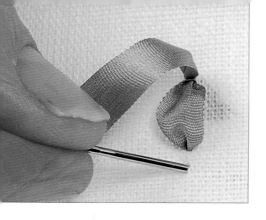

Punto de realce

El punto de realce es un punto raso un poco más corto, que se hace por debajo del punto principal. De este modo el punto adquiere más volumen y relieve. Se utiliza, por ejemplo, para el ovario en la base de una rosa.

Punto raso por encima de un punto de realce.

Punto raso retorcido

Algunas flores presentan pétalos retorcidos, como el Chrysanthemum de la página 53 o la Monarda de la página 82 (y fotografía de más abajo), que se tuercen y retuercen en direcciones distintas. La mayoría de estos pétalos se bordan con cintas de 2 o de 4 mm, aunque depende del tamaño y variedad de la flor. Los espolones de la Aquilegia de la página 44 (y más abajo) se retuercen y forman un especie de cono, y se bordan con cinta de 7 mm.

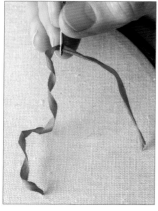

1. Con una cinta de 2 o de 4 mm, salir hacia el derecho de la tela en la base del pétalo y retorcerla varias veces.

2. Sujetar las vueltas en su sitio sobre el ojo de una aguja. Al tirar de la cinta por el revés de la tela, ir llevando las vueltas hacia el comienzo del punto y sujetarlas en su sitio.

Punto raso retorcido terminado. Se puede dejar doblado y en curva, según el tipo de flor que se borde.

Monarda (ver página 82). Se ha utilizado un punto raso retorcido para los pétalos rosas del extremo superior de la flor.

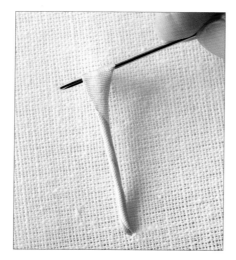

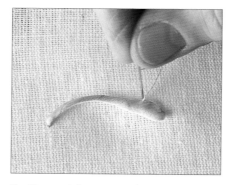

2. Con un hilo a tono, dar una pequeña puntada arriba del espolón para conservar el ancho y, si fuera necesario, mantenerlo en su sitio.

1. Para formar un espolón, utilizar cinta de 7 mm y desenrollar el extremo del punto alisándolo sobre el ojo de una aguja, para que quede más ancho arriba que abajo.

Aquilegia. Los espolones se han bordado con punto raso retorcido en la base de las flores y en el capullo grande.

Punto de cinta

El punto de cinta solamente puede utilizarse en este tipo de bordado. La cinta es ancha y además es en realidad una tela, y cuando está enhebrada se puede dar una puntada sobre ella, en el lugar adecuado de su ancho. Es perfecto para bordar flores y follaje porque con él se logra un relieve de gran belleza. Se da forma al punto y luego se clava la aguja en la cinta hacia el revés de la tela. Al tensar el punto, se obtiene una presilla en el derecho y se puede pasar una segunda aguja para tensar la cinta sobre ella. Tirando de la cinta se forma un rollito sobre la aguja por el derecho y ese rollito es un borde perfecto para pétalos y hojas. Como en todo bordado con cinta de seda, la tensión es fundamental y depende del ancho de la cinta que se utilice y del tamaño de la flor que se esté bordando.

Punto de cinta centrado

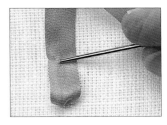 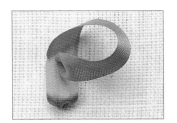 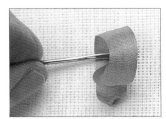 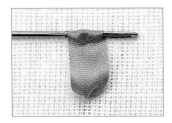

1. Anclar la cinta y aplastarla (ver página 23), luego dar un pequeño tirón para darle forma. Clavar la punta de la aguja en el centro de la cinta, en donde termine el punto, y pasar la aguja hacia el revés de la labor.

2. Tirar con cuidado de la cinta hacia el revés. Si se retuerce, enderezarla guiándola sobre el ojo de una segunda aguja (ver página 25).

3. Para lograr una punta redondeada de un pétalo o de una hoja, colocar el ojo de la segunda aguja por dentro de la presilla de la cinta, en donde la cinta pasa hacia el revés de la tela.

4. Seguir tirando de la cinta alrededor de la aguja. Sin retirar la aguja, se puede salir con esta enhebrada hacia el derecho para empezar el punto siguiente, o bien rematar el punto por el revés. Retirar la segunda aguja.

Para terminar en punta el punto de cinta, retirar la segunda aguja en el paso 4 y tirar suavemente de la cinta hacia el revés, parando en cuanto se haya formado la punta.

Consejo

De no indicarse otra cosa, la segunda aguja que se utiliza para dar forma al pétalo debe ser del mismo tamaño que la empleada para bordar el punto.

Punto de cinta terminado.

Punto de cinta centrado invertido

Muchos pétalos se curvan hacia atrás, por ejemplo los de la rosa, y una forma de lograrlo es invirtiendo el método anterior.

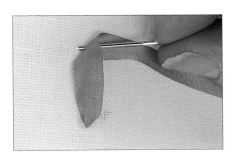

1. Situar la cinta como en el paso 1, doblarla en diagonal y clavar la punta de la aguja en ella por debajo del centro del doblez. Tirar de la cinta por el revés, utilizando el ojo de una segunda aguja o un bastoncillo de algodón colocados en la punta para tensar la cinta por encima de ellos.

Punto de cinta terminado con el centro invertido.

Punto de cinta a la izquierda y a la derecha

Estas variaciones del punto de cinta básico se utilizan para bordar hojas o pétalos terminados en punta y curvados hacia la izquierda o la derecha.

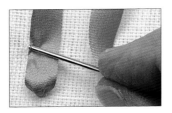  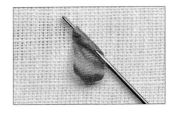 

1. Para un punto de cinta de borde enrollado y curvado hacia la izquierda, clavar la aguja en el borde izquierdo de la cinta.

2. Colocar el ojo de una segunda aguja inclinado dentro de la presilla de la cinta y empezar a tirar suavemente de la cinta hacia el revés.

3. Seguir tirando de la cinta para enrollarla en torno al ojo de la segunda aguja y dejar esta aguja hasta empezar el punto siguiente o hasta rematar.

Punto de cinta a la izquierda terminado.

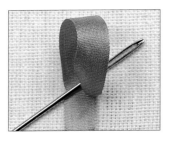

1. Para un punto de cinta enrollado y curvado hacia la derecha, clavar la aguja en el borde derecho de la cinta y pasar la segunda aguja en dirección contraria (como se ve a la izquierda). Tensar la cinta y seguir como antes.

Punto de cinta a la derecha terminado.

Punto de cinta a la izquierda y a la derecha invertido

Este punto se utiliza para algunos pétalos que se enrollan hacia atrás o hacia abajo, como el Chrysanthemum (página 50).

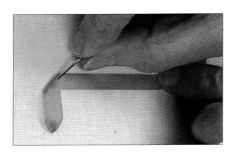 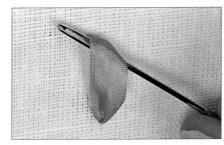 

1. Para hacer un punto de cinta invertido curvado hacia la izquierda, doblar la cinta sobre la aguja al final del punto, de modo que la cinta se doble en ángulo recto. Manteniendo la aguja en esa posición, clavarla en el borde inferior izquierdo del doblez.

2. Tirar un poco de la cinta hacia el revés, colocar el ojo de una segunda aguja inclinada como se ve arriba y seguir tirando despacio de la cinta para enrollarla hacia atrás. Dejar de tirar en cuanto se haya formado el punto.

Punto de cinta a la izquierda invertido terminado.

  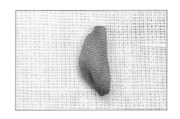

Paso 1.

Paso 2.

Punto de cinta a la derecha invertido terminado.

El punto de cinta a la derecha invertido se forma como el punto a la izquierda invertido, pero curvando la cinta en dirección contraria.

Punto de cinta con pliegue

Este punto dibuja un pétalo con un borde plegado y se trabaja sobre todo con cinta de 4 y de 7 mm. Se puede plegar cualquiera de los dos bordes, el de la derecha o el de la izquierda, según se quiera. También se pueden hacer versiones del punto de cinta invertido.

Pinchar el borde de la cinta desde atrás con la punta de la aguja, levantarlo y plegarlo sobre la cinta y luego clavar la aguja en esta. Tirar con cuidado de la cinta hacia el revés de la tela para terminar el punto.

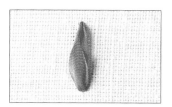

Punto de cinta terminado, plegado hacia la izquierda.

Punto de cinta terminado, plegado hacia la derecha.

Punto de cinta con presilla

Este punto aporta profundidad y volumen a una flor, como el Delphinium (página 56). La distancia entre el lugar por donde la cinta sale de la tela y por donde penetra en ella puede variar, tanto como la altura de la presilla. También se puede atravesar la cinta con la aguja, por delante o por detrás del pétalo. Aquí el punto de cinta se da por el frente para estrechar el cuello del pétalo.

1. Salir con la cinta hacia el derecho de la tela y formar una presilla sobre el ojo de una segunda aguja.

2. Mantener la tensión de la presilla y pasar la cinta hacia el revés de la tela justo debajo de la base del punto (pero no por el mismo agujero).

3. Tirar de la cinta para formar el punto de cinta con presilla.

Para que la presilla quede más aplastada, pasar la cinta hacia el revés a cierta distancia de donde salió hacia el derecho.

Punto de cinta doble

Este tipo de punto se emplea para aquellas partes de la flor con punta fina y alargada, como los cálices en el proyecto de la Rosa (página 102). Aquí he utilizado cinta de 7 mm.

1. Colocar la cinta como para un punto de cinta, pero sin atravesar la cinta o la tela con la aguja.

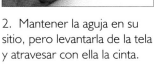

2. Mantener la aguja en su sitio, pero levantarla de la tela y atravesar con ella la cinta.

3. Sujetar la cinta aplastada y tirar de ella para formar un punto de cinta.

4. Volver a atravesar la cinta con la aguja, justo debajo de donde se dio el primer punto.

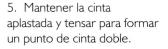

5. Mantener la cinta aplastada y tensar para formar un punto de cinta doble.

Punto de cinta doble terminado (de la derecha, fotografía de la izquierda) y el mismo punto realizado con cinta de 4 mm (fotografía de la derecha).

Técnicas de fruncido

La finura de la cinta de seda hace posible fruncirla con efectividad y permite crear una serie de flores totalmente distintas. El efecto logrado dependerá del ancho de la tela, del largo de cinta fruncido y del emplazamiento de la bastilla de frunce. Las puntadas de la bastilla de frunce deben ser muy menudas, de 1 a 2 mm, y se dan por el orillo para formar un volante de vuelo redondo. Las puntadas mayores producen un volante ondulado, más difícil de coser a la tela. Los ejemplos de más abajo son para una flor pequeña muy sencilla, como una roseta. Esta técnica básica se presta a numerosas variaciones que se explicarán en las secciones de flores individuales.

Fruncir siempre la cinta con un hilo del mismo color y coserla a la tela con un hilo del color de esta para poder distinguir los hilos. Aquí, para mayor claridad, se ha utilizado un hilo de color contrastado. Si la flor y la tela son del mismo color, fruncir la cinta con un tono más claro, diferente. Es importante cortar la cinta al bies y empezar la costura a 1 cm del extremo de cabo.

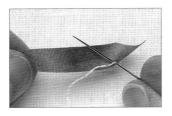

1. Enhebrar un hilo del color de la cinta en una aguja fina y hacer un nudo en la punta. Pasar la aguja por el orillo de la cinta, en el borde largo, a 1 cm de la punta, y dar una segunda puntada por encima del borde para anclar.

Consejo

Dar puntadas pequeñas. Si las puntadas son demasiado largas, queda un volante ondulado, como este, en lugar de fruncido. Este tipo de volante resulta además difícil de coser a la tela.

2. Hacer una bastilla de puntadas de 1 mm cruzando la cinta en diagonal y seguir la línea del extremo del cabo (45°).

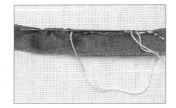

3. Seguir haciendo una bastilla a lo largo del orillo, de unos 5 cm de largo; cuanto mayor sea el borde fruncido, más grande quedará la flor.

4. Coser ahora cruzando la cinta en diagonal (en un ángulo de 45°) como antes, retirar el hilo de la aguja pero dejarlo sin cortar. Cortar ahora la cinta siguiendo el mismo ángulo, a 1 cm de la bastilla diagonal, como antes.

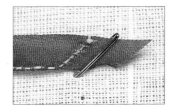

5. Para rematar la cinta, enhebrar el extremo del cabo en una aguja de manera que el ojo quede paralelo a la costura diagonal y a la línea de corte, como en la fotografía de arriba.

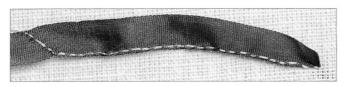

6. Sostener la cinta firmemente sobre la tela y tirar de la aguja con el extremo del cabo a través de la tela, de manera la línea diagonal de puntos quede casada con la tela y no se vea por el derecho ni por el revés. Anclar la cinta por el revés de la tela utilizando un hilo del color de la misma, por debajo de donde vaya a quedar el pétalo y cerca de donde pasa la cinta por la tela. Asegurarse de no coser por encima del hilo de frunce.

Consejo

Para anclar la cinta, no situar la aguja en vertical respecto a la costura diagonal (como se ve arriba). Si se tira de la cinta con la aguja en esa posición, la costura diagonal quedará a uno u otro lado de la tela y se verá por el derecho.

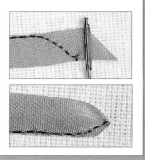

7. Tirar suavemente del hilo de frunce para comenzar a fruncir ligeramente la cinta y empezar a darle forma en redondo.

8. Clavar la aguja parcialmente hacia el revés de la tela, lo más cerca posible de donde sale la cinta. Enhebrar el extremo suelto de la cinta en la aguja, asegurándose de que la costura diagonal quede paralela al ojo de la aguja, como antes.

Consejo

Tener cuidado de no atravesar con la aguja el extremo de cabo de la cinta ya anclado por el revés de la tela.

9. Pasar la aguja con la cinta hacia el revés de la tela, como antes, de manera que no se vea ninguna de las costuras diagonales por las dos caras de la tela. Dejar el hilo de frunce por el derecho de la tela. Anclar la cinta como antes.

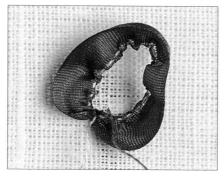

10. Salir con el hilo de anclaje (en azul en la fotografía) hacia el derecho de la tela, junto al lugar por donde penetra la cinta.

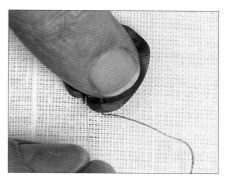

11. Poner un dedo con cuidado en el centro de la cinta y tirar despacio del hilo de frunce con la otra mano. De este modo, la cinta se frunce por igual. Comprobar el agujero del centro y seguir frunciendo hasta obtener el tamaño deseado.

12. Con el hilo de anclaje azul y sin atravesar las puntadas de frunce, dar unas puntadas pequeñas por encima de la línea de frunce alrededor del centro para coser la flor. Rematar la hebra por el revés de la tela.

13. Poner un dedo en el centro de la flor, como antes, y tirar de nuevo suavemente del hilo de frunce para asentar los pliegues. Rematar la hebra por el revés de la tela.

14. Hacer en el centro un punto de nudo para terminar la flor.

Consejo

Al tirar del extremo del cabo de la cinta fruncida a través de la tela, colocar el dedo índice encima de la parte fruncida y sujetarla firmemente mientras se tira del extremo por la tela. Normalmente, la línea de costura quedará perfectamente casada con el hilo de la tela.

Puntos de nudo

Los puntos de nudo bordados con cinta crean un efecto totalmente distinto, añadiendo otra dimensión a las flores bordadas con cinta de seda. Aquí también el ancho de la cinta, el número de vueltas y, sobre todo, la tensión que se aplique al nudo, determinan el resultado, como se ve en la muestra de abajo a la derecha. Los puntos de nudo se suelen emplear en combinación con flores de pétalos, como en la Budleia (página 48), para sugerir formas redondeadas y aportar profundidad, o en ramilletes, como en el Crambe (página 54).

Consejo

Al hacer un punto de nudo, no enrollar nunca la cinta apretada sobre la aguja como en la fotografía de abajo; dar siempre las vueltas como en la demostración.

Consejo

Los zurdos deberán sostener la aguja con la mano izquierda, como es habitual; dar una vuelta a la cinta en el sentido contrario a las agujas del reloj y proceder como en el paso 2, pero desde la izquierda.

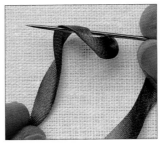

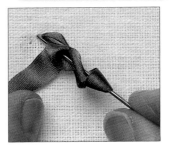

1. Anclar la cinta y darle una vuelta, en el sentido de las agujas del reloj, para retorcerla.

2. Llevar la cinta hacia la izquierda, sujetándola, y enrollarla una vez sobre la aguja, sin apretar.

3. Enrollarla otras dos veces más, como se ve en la fotografía, o el número de veces que requiera el tamaño del punto de nudo.

4. Clavar la aguja en la tela, junto al lugar por donde salió la cinta.

5. Sujetar la aguja vertical y deslizar las vueltas de cinta hacia la tela. Al mismo tiempo, tirar de la cinta hacia el revés. Tensar la cinta hasta obtener el tamaño deseado de nudo.

6. Pasar la aguja y la cinta hacia el revés de la tela. Dejar de tirar cuando el nudo tenga la forma y tamaño adecuados.

En este ejemplo se ilustra el tamaño aproximado del punto de nudo bordado con cintas de distinto ancho y variando el número de vueltas en torno a la aguja. De abajo arriba, las filas se han hecho con cintas de 2, 4, 7 y 13 mm. Los primeros nudos de la izquierda están hechos con una vuelta, los del centro con dos vueltas y los de la derecha con tres vueltas.

Punto de margarita

El punto de margarita también se llama de cadeneta suelta, y es un punto fácil y muy útil. Con él se pueden bordar, por ejemplo, lirios pequeños de distinto tamaño; partes de una flor como en la Wisteria o capullos a un lado de un tallo. Es fundamental hacer el punto utilizando la técnica de clavado que se ilustra más abajo para que no pierda profundidad y forma. La tensión de la presilla la determinan el tamaño del punto y el ancho de la cinta.

El pétalo de arriba está bordado con un punto de margarita.

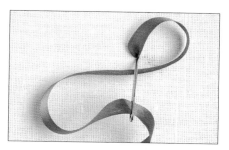

1. Anclar la cinta por el revés de la tela y clavar la aguja hacia el revés lo más cerca posible de donde salió.

2. Tirar de la cinta dejando una presilla. Guiar la cinta con el dedo o la aguja para que no se retuerza.

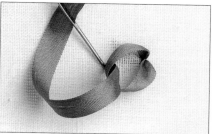

3. Salir con la aguja desde el revés por dentro de la presilla en la parte de arriba. Ajustar el tamaño de la presilla y clavar de nuevo la aguja al otro lado de la presilla, junto a donde acaba de salir.

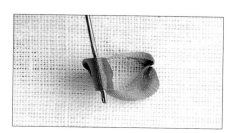

4. Pasar el ojo de una segunda aguja por la presilla para mantener la cinta lisa mientras se tira de ella hacia el revés.

5. Dejar de tirar de la cinta cuando quede lisa sobre la presilla, sin aplastarla. Retirar la segunda aguja para completar el punto.

Consejo

Evitar apretar demasiado la segunda presilla que sujeta la primera en su sitio, porque es el ancho de la cinta el que mantiene abierta la primera presilla y da forma al pétalo. Además, si se aprieta demasiado la segunda presilla, queda más visible.

Punto de margarita abierto

Se puede utilizar en el mismo contexto que el punto de margarita de más arriba, para sugerir un capullo abierto o un lirio pequeño.

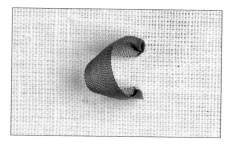

1. Empezar el punto como antes, pero formar la presilla clavando la aguja hacia el revés a cierta distancia de donde salió por la tela.

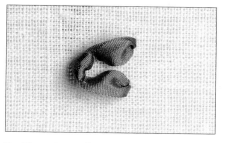

2. Completar el punto como antes.

Utilización de los hilos

Se necesita una selección de hilos, de distinto grosor y textura, para los centros de las flores, los tallos, la hierba, las hojas de fondo, las ramitas y las ramas (ver página 11). Se puede lograr con ellos un gran efecto utilizando tan solo unos puntos básicos, que se describen en las páginas siguientes. Siempre separo las hebras del hilo para los tallos y luego las vuelvo a juntar para usar el número de hebras necesario para el grosor del tallo, y mezclo hebras de varios colores para producir luces y sombras.

Punto de hoja

Es un punto muy útil, que suele emplearse para bordar el cáliz de una flor pequeña, hojitas pequeñas o agujas de conífera. También se consigue un buen efecto bordándolo con cinta.

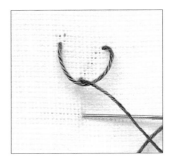

1. Formar una presilla abierta y sujetarla con una puntada; así la presilla se alarga para formar un tallo.

2. Tensar el hilo para completar el punto.

Para bordar una hoja, hacer varios puntos de hoja en fila partiendo de la punta hacia abajo, dándoles forma y curvándolos al mismo tiempo.

Punto de nudo

Este punto de nudo (o de vapor), bordado con una hebra de hilo, se emplea cuando se necesitan nudos pequeños (más pequeños que los bordados con cinta de 2 mm). Se suele usar para estambres y centros de flores y podría utilizarse en flores como el Crambe (página 54) para sugerir flores más pequeñas o más alejadas.

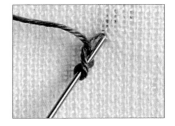

Salir con la hebra hacia el derecho de la tela, enrollar la hebra sobre la aguja varias veces (de una a ocho veces, dependiendo del tamaño que se quiera para el nudo) y clavar la aguja hacia el revés junto a donde salió por la tela.

Punto de pistilo

El punto de pistilo se hace como el punto de nudo, pero luego se clava la aguja en la tela a cierta distancia de donde salió para formar un tallo. Suele combinarse con el punto de nudo, como se ve más abajo. También se puede hacer con cinta.

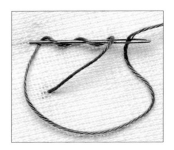

1. Los puntos de pistilo se hacen igual que los puntos de nudo (ver más arriba), salvo que la aguja se pincha hacia el revés a cierta distancia de donde salió por la tela.

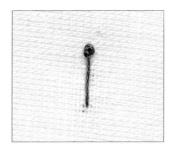

2. Tirar de aguja y apretar el nudo para completar el punto.

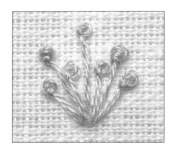

Grupo de puntos de pistilo que parten del centro de una flor.

Aquí se han combinado puntos de nudo y puntos de pistilo para formar un centro de flor compuesto de estambres, sugiriendo que cada uno posee un tallo corto.

Centros de flor

Los centros de las flores varían mucho y es importante reproducirlos lo más exactamente posible para dar realismo a la flor. El centro se compone de estambres y a veces un pistilo. Los centros cortos y densos del centro de una margarita se imitan con puntos de nudo. Los diferentes efectos se logran variando el tamaño de los puntos de nudo y el color de los hilos, como se ilustra más abajo. En esta sección presento una serie de técnicas básicas adecuadas para distintas variedades de flores; en las secciones de cada flor se indican las variaciones correspondientes.

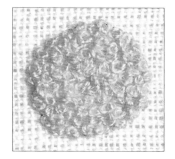

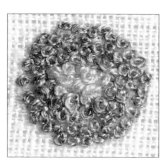

Aquí se han bordado todos los puntos de nudo partiendo del centro y en un mismo tono de amarillo. Se han utilizado dos hebras y una sola vuelta en cada nudo.

En este caso se ha bordado el centro con una hebra de amarillo pálido y una de oro pálido. En el centro se han bordado varios puntos de nudo de tres vueltas, rodeados por unos grupos de nudos de dos vueltas, para terminar con una pasada de nudos de una vuelta y lograr un efecto de cúpula.

Este centro de flor está bordado igual que el de la izquierda, aunque utilizando en medio un tono más claro de amarillo para reforzar el efecto tridimensional.

En esta visión de perfil de un centro de flor, se han bordado los puntos de nudo en óvalos, poniendo tonos más oscuros en la base y más claros justo encima del centro para dar mayor sensación de profundidad.

Los centros de algunas flores, como las amapolas y las rosas, suelen estar rodeados de estambres que forman como pelillos. Se puede bordar una versión sencilla y eficaz con la técnica de más abajo.

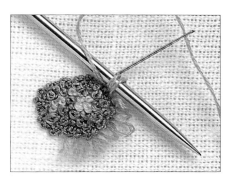

1. Formar unas presillas por fuera del centro de la flor, pasando las presillas por encima de una segunda aguja grande para controlar su tamaño. Clavar la aguja siempre inclinada junto al lugar por donde salió.

2. Hacer todas las presillas y cortarlas luego con tijeras pequeñas de punta fina, recortándolas para que queden de igual longitud.

Centro de la flor terminado. Utilizar hebras de distintos colores para las diferentes flores.

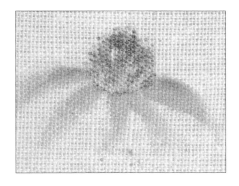
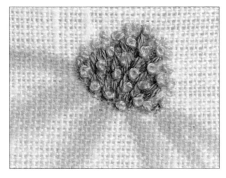

Este centro de flor en forma de cúpula, visto de perfil, se consiguió bordando primero al azar varios puntos rasos verdes, de abajo arriba, y luego añadiendo por encima puntos de nudo amarillos.

Algunas flores presentan un grupo denso de estambres que sobresalen orgullosamente de los pétalos. Unos se pueden trabajar directamente en el centro de la flor, pero otros se deben hacer aparte y añadirlos después. Variar el número de hebras utilizadas para hacer estambres de diferentes tamaños.

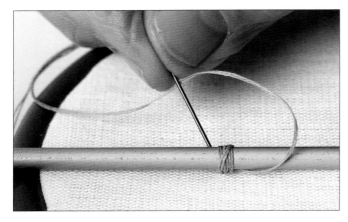

1. Con dos hebras de hilo de bordar, dar una serie de vueltas sobre una aguja de punto o similar. Alterar ligeramente el ángulo de la aguja de punto para que las presillas no queden en línea recta. No pasar dos veces por el mismo agujero de la tela.

2. Con cuidado, sacar la aguja de punto y cortar las presillas por arriba.

3. Separar los estambres y colocarlos con la punta de una aguja. Recortarlos si fuera necesario.

A veces el espacio es limitado en el centro de las flores, como en las que tienen forma de trompetilla. En este caso es más fácil hacer presillas largas con hilo preparado (encerado o enjabonado) por encima del ojo de una aguja grande y luego recortarlas al tamaño adecuado. Este método también evita que los estambres se salgan al tirar accidentalmente de ellos por el derecho de la tela.

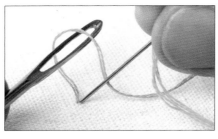

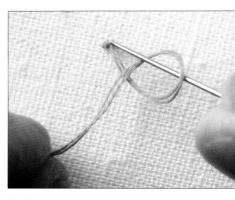

1. Anudar el hilo, salir con la aguja hacia el derecho de la tela y volver a clavarla casi en el mismo sitio.

2. Formar una presilla sobre la tela por encima del ojo de la aguja.

3. Trabajando por el revés de la tela y sin tirar de la presilla del derecho, enrollar el hilo una vez alrededor de la aguja y pinchar la punta de la aguja en la tela junto al sitio por donde salió.

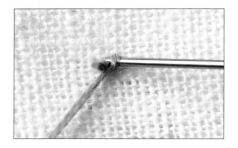

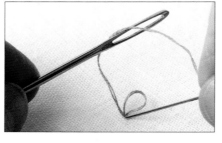

4. Mantener la aguja en su sitio y apretar el nudo en torno al final de la aguja, pegado a la tela.

5. Salir con la aguja hacia el derecho de la tela y formar la presilla siguiente.

6. Seguir haciendo tantas presillas como sea necesario, anudándolas una por una por el revés. Cortar las presillas por arriba y recortar; colocar los estambres como antes.

Algunas flores, como la Aquilegia y el Prunus, tienen en el centro un grupo más reducido de estambres con una antera bien visible en la punta de los filamentos. Estos estambres se trabajan con la tela en el bastidor, luego se cortan y se añaden al centro de la flor.

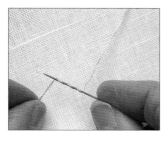

1. Salir con el hilo hacia el derecho de la tela y enrollarlo varias veces en torno a la aguja, a unos 5 cm de la base del hilo.

2. Sujetar las vueltas de hilo entre dos dedos.

3. Tirar de la aguja por entre las vueltas sin soltarlas, hasta tener pasado todo el hilo.

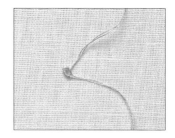

4. Formar el nudo y hacer luego varios nudos más a lo largo del hilo, a unos 10 cm de distancia entre ellos.

5. Pasar un jabón humedecido o un trozo de cera a lo largo del hilo para unir las hebras y mantener los estambres rectos en su sitio.

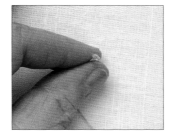

6. Cortar el hilo en medio de cada nudo (anteras), dejando un cabo de 5 cm a cada lado. Retorcer los dos cabos para formar el tallo (filamento). Con el jabón se mantienen unidos.

7. Enhebrar al mismo tiempo los cabos de dos estambres en una aguja y pasar solo los extremos por el centro de la flor. Comprobar el largo de los estambres por el derecho y rematar los extremos por el revés, cosiéndolos por encima con un hilo del color de la tela.

Consejo

Si se utilizan varios hilos para hacer, por ejemplo, un estambre o un tallo, conviene encerarlos. La cera los mantiene unidos y con ella los estambres quedan erguidos. También se puede emplear un trozo de jabón seco.

Encerar las hebras pasándolas sobre el borde de un trozo de cera, apretándolas bien.

Hebras de hilo sin encerar.

Las mismas hebras después de enceradas.

Los pistilos son más anchos y gruesos que los estambres y se encuentran en el centro de ciertas flores, rodeados de estambres. Hacer pistilos de diferente tamaño variando el número y el largo de las hebras de hilo. Para un pistilo ancho, como el del centro de un lirio, utilizar un hilo de algodón grueso.

1. Hacer un nudo en el centro de un hilo, doblar el hilo por la mitad en el nudo y hacer una serie de nudos a lo largo del hilo doble, deslizándolos uno junto a otro sin que quede hueco entre ellos.

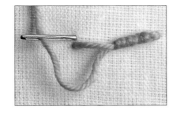

2. Coser el pistilo al bordado enhebrando cada cabo en una aguja y pasándolos hacia el revés de la labor, lo más cerca posible uno de otro. Anudar los dos cabos juntos para rematar el punto.

Pistilo terminado.

Centros de amapola

Los centros de amapola varían de tamaño y consisten en un estigma central grande rodeado de estambres. Para formar el "disco estigmático", como se le denomina, se empieza con un disco de entretela (este mide 1,25 cm de diámetro), un trozo de guata de igual tamaño y un disco de seda verde de 3 cm de diámetro, es decir, aproximadamente dos veces y media el ancho del disco de entretela. Sin anclar el hilo, se hace una pequeña bastilla alrededor, junto al borde de la pieza de seda, con un hilo a tono. No rematar el hilo.

1. Con el dobladillo hacia arriba, poner la entretela y la guata en el centro del disco de seda. Pasar otro hilo por el centro de los dos discos y de la seda y dar una pequeña puntada de vuelta para mantener las tres capas unidas. Dejar una hebra larga.

2. Poner un dedo encima de los discos, apretándolos, y tirar de las hebras de los dos lados de la bastilla para fruncir la seda sobre el relleno.

3. Rematar las dos hebras de frunce haciendo un doble nudo y cortar las puntas. Con un hilo verde claro, dar unas pequeñas puntadas de bastilla justo debajo del borde del disco de seda.

4. Tirar de la hebra para fruncir bien la tela alrededor del borde del disco de seda y rematarla.

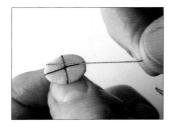

5. Con la hebra de la puntada del centro, dar dos puntadas cruzadas en el centro del disco, pasando los dos extremos del hilo por el borde del disco y de la guata para sujetarlos bien.

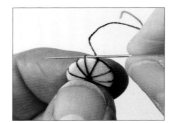

6. Hacer otros dos puntos cruzados para marcar segmentos en el disco y dar una puntada pequeña por encima de ellos, en el centro, para sujetarlos. Por último, entretejer la hebra por el borde del disco, enrollándola una vez en la base de cada punto para formar un reborde.

Tallos

Después de bordar con todo cuidado una flor o una hoja, es importante hacer el tallo lo más real posible. Cada grupo de flores tiene su propio tipo de tallo; unos son, por ejemplo, fuertes y rectos; otros, finos y flexibles; y otros se doblan bajo el peso de la flor. El color y la textura también desempeñan un papel fundamental. El ancho de un tallo varía según el número de hebras, y el tono según la combinación de hebras de distinto color utilizadas en un hilo. Los tallos se pueden coser por encima formando una curva o un ángulo y es fundamental que las puntadas no se noten por encima. Se darán en diagonal, a intervalos a lo largo del tallo, y serán bastante largas y tan pocas como sea posible, empleando un hilo a tono. Algunos tallos tienen espinas y estas se pueden aprovechar para mantener el tallo en su sitio.

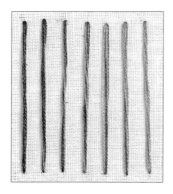

Variación del color

Los tallos de la izquierda presentan distintos tonos de verde que se consiguen variando los colores de las hebras del bordado. He utilizado seis hebras y he aumentado gradualmente, de izquierda a derecha, el número de hebras de tono claro y reducido el número de hebras oscuras.

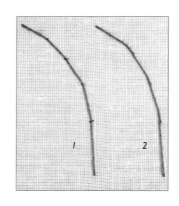

Coser los tallos por encima

Las puntadas por encima deben quedar lo más disimuladas posible. Las puntadas miden unos 5 mm de largo y siguen la inclinación del retorcido de los tallos (tallo 2 a la izquierda). No se deben hacer rectas, perpendiculares al tallo, porque se notan más (tallo 1). Practicar siempre antes.

Acabado

Cuando el bordado esté terminado, se pone a contraluz y se comprueba si quedan cabos de hilo o de cinta sueltos por el revés que luego podrían verse por el derecho una vez montada y enmarcada la labor. Se pueden cortar o, si hiciera falta, se rematan. Si se han aplastado o deformado unos pétalos o unas hojas, se humedecen o se deja la labor durante un tiempo en un lugar con vapor, como el cuarto de baño, y luego se utiliza el ojo de una aguja para levantarlos y colocarlos bien, como se ve en los pasos de más abajo.

1. Con el ojo de una aguja grande, levantar los pétalos que se hayan aplastado o deformado, y humedecerlos.

2. Volver a dar forma al hueco de la base del pétalo con la ayuda de un bastoncillo de algodón.

3. Si se desea, utilizar un secador para acelerar el proceso de secado, mientras se sujeta el pétalo.

4. Se pueden sujetar los pétalos poniendo por debajo de ellos un poco de guata, si hiciera falta.

Cuando los pétalos estén bordados a capas, se empieza por dar forma a los que se han bordado primero, y se van levantando por turno con el extremo del ojo de una aguja.

Las flores

Aquilegia, página 44

Aster, página 46

Budleia, página 48

Chrysanthemum, página 50

Crambe, página 54

Delphinium, página 56

Digitalis, página 58

Erica, página 60

Euphorbia, página 62

Fuchsia, página 64

Galanthus, página 68

Hydrangea, página 70

Iris, página 72

Jasminum, página 74

Kniphofia, página 76

Lathyrus, página 78

Lavandula, página 80

Monarda, página 82

Narcissus, página 86

Orquídea, página 90

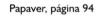

Papaver, página 94

Pelargonium, página 98

Prunus, página 100

Rosa, página 102

Scabiosa, página 106

Tropaeolum, página 108

Ursinia, página 112

Viola, página 114

Wisteria, página 116

Xeranthemum, página 120

Yuca, página 122

Zantedeschia, página 124

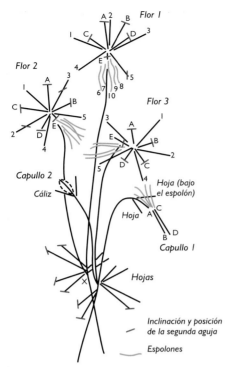

Flor 1
Flor 2
Capullo 2
Cáliz
Hoja (bajo el espolón)
Flor 3
Hoja
Capullo 1
Hojas

Inclinación y posición de la segunda aguja

Espolones

Plantilla a la mitad de su tamaño real; ampliarla al 200%. Empezar por marcar los extremos de los pétalos 1 a 5 de las flores 1, 2 y 3, de los capullos 1 y 2 y de las hojas principales. Levantar la plantilla y dibujar suavemente los 5 primeros mm de cada línea de conexión, empezando en la base. Volver a colocar la plantilla y marcar los pétalos A-D de las flores 1, 2 y 3 y las hojas de la base del capullo 1. Levantar la plantilla, dibujarlos y, por último, volver a colocar la plantilla y marcar el final de los espolones de igual modo.

2,5 m de cinta de 7 mm amarilla (n.º 15)

1,25 m de cinta de 4 mm amarilla (n.º 15)

0,67 m de cinta de 7 mm verde claro (n.º 31)

0,5 m de cinta de 4 mm verde claro (n.º 31)

30 x 40 cm de tela de lino/algodón; hilo de bordar mouliné verde (n.º 216), verde claro (n.º 859), amarillo pálido (n.º 292) e hilo de coser blanco a tono con la tela de fondo; pintura para seda en rojo amapola, magenta, azul marino y amarillo primario; pintura para tela en rojo cárdeno, azul cobalto y amarillo botón de oro.

Aquilegia

Estas delicadas flores de forma acampanada, llamadas comúnmente aguileñas, se encuentran en prados y jardines de gran parte del hemisferio norte. Son perennes y sus semillas se esparcen para producir plantas de una gran variedad de colores combinados de gran belleza.

Fue en un día gris cuando decidí bordar esta explosión de color, como rayos de sol. La forma de la flor es como una trompetilla dentro de otra trompetilla y se trabaja en dos colores, situando y dando forma a cada uno de los pétalos antes de rematarlo y empezar el siguiente.

Pintar la cinta

1 Mezclar pintura para seda rojo amapola con un toque de magenta y diluirla con un poco de agua para hacer un naranja suave. Humedecer con agua 1 m de cinta de 7 mm amarilla y pintarla a lo largo. Dejar secar. Cortar 20 cm de la misma cinta, humedecerla y pintar 3 cm a cada extremo. Humedecer la cinta de 4 mm amarilla y, con la misma mezcla, pintarla a manchas para lograr un efecto moteado (ver página 15). Dejar secar. Mezclar pintura para seda azul marino y amarillo primario para hacer dos tonos de verde, humedecer las dos cintas verdes de 4 y de 7 mm y pintarlas a manchas. Dejar secar. Planchar todas las cintas.

Flor 1

Nota: dar forma e inclinar cada uno de los pétalos con una segunda aguja; rematar la cinta antes de empezar el pétalo siguiente.

2 Anclar un trozo de cinta de 7 mm teñida de naranja en la base del pétalo 1 y hacer en la punta un punto de cinta centrado e invertido. Rematar. Hacer de igual forma los pétalos 2 y 3.

3 Cortar un trozo de cinta de 7 mm amarilla sin teñir, doblar un extremo por la mitad y enhebrarlo (ver página 22). Salir con él por la tela en la base del pétalo A. Hacer un punto raso en la punta, utilizando una segunda aguja para levantar el pétalo por encima de los pétalos naranjas de debajo, dejando un hueco hacia dentro en la base y redondeando la punta hacia fuera. Bordar los pétalos B a D de igual modo, pasando C y D por el borde del pétalo naranja de debajo.

4 Bordar los pétalos 4 y 5 igual que los pétalos 1 a 3 del paso 2.

5 Hacer los espolones 6 a 9 por orden. Para cada uno, enhebrar una cinta de 4 mm teñida de naranja y hacer un nudo en un extremo. Salir con la cinta en la punta del espolón. Humedecer los dedos pulgar e índice y enrollar con ellos la cinta en el extremo con nudo para formar una espiral de unos 2 cm de largo. Hacer un punto raso retorcido, como se describe en la página 28. Rematar.

6 Tomar la cinta de 20 cm de largo y 7 mm de ancho pintada en los dos extremos y cortarla por la mitad. Hacer un nudo en la parte pintada de una mitad y enrollar la cinta, saliendo con ella en la punta del espolón 10, como en el paso 5.

Espolones

Flor 1

Flor 2

Flor 3

Tender la cinta sobre el centro de la flor y curvarla luego hacia atrás, hacia la punta del espolón sobre el ojo de la segunda aguja mantenida arriba del centro de la flor, para formar una presilla. Hacer un punto de cinta centrado en E, tirando de la cinta con cuidado para formar el pétalo amarillo inferior de delante. Con una sola hebra de hilo a tono, dar una puntada pequeña por el revés de la tela para mantener la curva del espolón en su sitio.

7 Hacer los estambres según el método descrito en la página 39. Mezclar un poco de rojo cárdeno, de azul cobalto y de amarillo botón de oro de pintura para tela para conseguir un naranja tostado. Sostener con unas pinzas los estambres levantados por encima de los pétalos y dar unos toques de pintura en los nudos con un pincel fino.

8 Hacer un naranja suave mezclando pintura para seda en rojo amapola, magenta y amarillo primario con un poco de agua. Sostener uno de los pétalos amarillos con una aguja, humedecerlo desde la base con agua y sombrearlo ligeramente con la mezcla naranja suave. Pintar los demás pétalos amarillos de igual manera.

Flores 2 y 3

9 La flor 2 se hace igual que la flor 1, pero sin pasar la aguja por los bordes de los pétalos naranja de debajo al formar los pétalos C y D. La flor 3 se diferencia de la flor 1 en que solamente tiene cuatro espolones; el pétalo E se trabaja igual que el pétalo C, pero obsérvese la posición de la segunda aguja.

Capullo 1

10 Con cinta de 7 mm teñida de naranja, hacer unos puntos rasos de A a B y de C a D, tirando suavemente de la cinta en dirección contraria al pétalo para alargar la puntada (ver página 27). Luego hacer las dos hojas a cada lado del tallo con puntos de cinta centrados y utilizando cinta de 4 mm verde teñida, a la derecha y a la izquierda del capullo. Por último, bordar como antes los cuatro espolones con cinta de 4 mm teñida de naranja.

Capullo 2

11 Con cinta de 7 mm teñida de naranja, hacer un punto de realce con un punto raso por arriba (ver página 28). Para el cáliz, utilizar cinta verde de 4 mm teñida para hacer un punto de cinta a la izquierda y a la derecha, a los lados izquierdo y derecho del capullo, respectivamente.

Hojas y tallos

12 Con cinta de 7 mm verde teñida, bordar cada hoja desde la base hacia la punta, haciendo un solo punto raso. Obsérvese el ángulo de la segunda aguja.

Nota: al bordar los tallos, utilizar el ojo de una segunda aguja cuando sea necesario para poder pasar las hebras por detrás de un pétalo o de una hoja y proseguir como siempre.

13 Hacer un hilo para el tallo utilizando dos hebras de hilo verde y dos de verde claro. Enhebrarlas en una aguja y hacer un nudo en un extremo. Empezar el primer tallo por detrás de los espolones de la flor 1 (ver plantilla) y hacer un punto raso en la base del tallo.

Salir con la aguja a la derecha del hilo en X y clavarla hacia el revés detrás de los espolones de la flor 2. Con una hebra de hilo a tono, dar unas puntadas por encima para mantener los tallos en su sitio. Rematar todas las hebras. Hacer un tallo desde detrás de los espolones hasta la base de la flor 3, coserlo por encima en su sitio y rematar las hebras como antes. Utilizar ahora tres hebras únicamente para completar los tallos de los capullos 1 y 2.

Aster

Ramilletes de estas flores de colores vivos, parecidas a margaritas, con un centro normalmente amarillo y de hasta 7,5 cm de ancho, florecen al final del verano y, dependiendo del clima, pueden durar hasta principios del invierno. En algunos países se les llama margaritas de San Miguel y varían en altura, pudiendo crecer en casi cualquier emplazamiento del jardín, desde rocallas hasta borduras.

La mayoría de los pétalos consisten en puntos rasos, aunque algunos se pueden bordar a punto de cinta para dar movimiento, pues a veces los pétalos aparecen un poco desordenados en torno al centro. Todos ellos parten de la tela para formar flores ovaladas, los pétalos de delante crecen más largos y más levantados que los de detrás a fin de otorgar mayor realismo. Se bordan en un tono de rosa intenso, con un toque de pintura para seda magenta en la base de cada pétalo antes de bordar el centro a punto de nudo.

Capullo 1

Flor 2

Flor 1

Capullo 2

— *Pétalo principal*

Plantilla a la mitad de su tamaño real; ampliarla al 200%. Marcar los puntos A, B, C, D y E y la base y la punta de los tallos laterales. Cuando se hayan trabajado los tallos, se vuelve a colocar la plantilla y se marca el final de cada pétalo principal (dibujado en rojo). Dibujar con suavidad únicamente los centros de las flores (no las líneas que unen los extremos de los pétalos).

5 m de cinta de 2 mm rosa intenso (n.° 128)

1,75 m de cinta de 2 mm musgo (n.° 20)

1 m de cinta de 4 mm musgo (n.° 20)

30 x 33 cm de tela de lino/algodón; hilo de bordar mouliné marrón (n.° 393), musgo intenso (n.° 268), verde claro (n.° 859), amarillo pálido (n.° 292), amarillo (n.° 305) e hilo de coser blanco a tono con la tela de fondo; pintura para seda en magenta, azul marino y amarillo primario.

Tallos

1 Formar un hilo para el tallo con seis hebras de musgo intenso y tres de marrón, enhebrarlas y hacer un nudo en la punta. Humedecer un trocito de jabón y frotarlo a lo largo del hilo partiendo del nudo. Salir con la aguja en A y sujetar el hilo del tallo en B dando dos pequeñas puntadas con una sola hebra de musgo intenso y una aguja fina. Dejar a un lado dos hebras de musgo intenso y una de marrón y sujetar las otras seis hebras en C igual que antes.

2 Dividir las hebras y pasar dos por D y dos por E. Rematar todas las hebras menos las que se dejaron en B. Utilizar estas para bordar el tallo lateral que parte de B y rematarlas.

3 Con tres hebras, como en el paso 2, bordar los tallos restantes.

Flores

4 Enhebrar una cinta de 2 mm rosa intenso en una aguja del n.º 24 y hacer un nudo en la punta. Salir con la aguja en la base del pétalo U de la flor 1 y hacer un punto raso hasta la punta. Bordar por orden los pétalos V a Z.

5 Guiándose por la fotografía y la plantilla, bordar los demás pétalos de la flor 1 por orden, en sentido contrario a las agujas del reloj, alrededor del centro de la flor. Rematar.

6 Bordar las cinco flores restantes y los pétalos de los capullos 1 y 2.

Pintar las flores

Nota: utilizar el ojo de una aguja para levantar los pétalos por encima de la superficie de la tela, pintarlos y volver a colocarlos en su sitio después de pintados y antes de que se sequen.

7 Con agua limpia y un pincel fino, humedecer unos dos tercios de cada pétalo de la flor 1 desde la base hacia la punta. Con pintura magenta para seda sin diluir, dar un toque en la base de cada pétalo y dejar que el color se vaya difuminando hasta más o menos la mitad.

8 Pintar el resto de las flores y dejar secar.

Centro de las flores

9 Hacer un grupo de tres puntos de nudo de dos vueltas en el centro de las flores 1 y 2 con un hilo compuesto por una hebra de amarillo pálido y dos verdes. Rematar después de trabajar cada flor.

10 Formar un hilo con dos hebras de amarillo pálido y una de amarillo y bordar puntos de nudo de una vuelta bien apretados alrededor de los del centro de las flores 1 y 2, pero sin terminar de rellenarlo. Rematar.

11 Con dos hebras de amarillo y una de amarillo pálido, hacer puntos de nudo de una vuelta alrededor de los puntos recién hechos para completar el centro de las flores 1 y 2.

12 Guiándose por la plantilla y las fotografías, hacer una línea de tres puntos de nudo de dos vueltas, como en el paso 9, para las demás flores y completar los centros siguiendo los pasos 10 y 11.

Cálices y hojas

13 Con cinta de 2 mm musgo, hacer los dos puntos de cinta exteriores del capullo 1 y luego los tres puntos interiores. Rematar. Hacer cuatro puntos de cinta para el cáliz del capullo 2, seguidos de las dos hojas pequeñas de más abajo y rematar.

14 Bordar de igual manera los tres capullos verdes y el par de hojitas de debajo de ellos.

15 Con la misma cinta (ver fotografía), hacer tres hojitas al azar en la parte alta de los tallos. Con cinta de 4 mm musgo hacer el resto de las hojas, más grandes.

Pintar el centro de las flores

16 Mezclar pintura para seda en amarillo primario y azul marino para obtener un verde claro, y añadir un toque de magenta para hacer un marrón suave. Diluir la mezcla para que quede un tono miel muy pálido y probarlo sobre un papel blanco. Con un pincel fino, sombrear ligeramente los nudos del centro de cada flor.

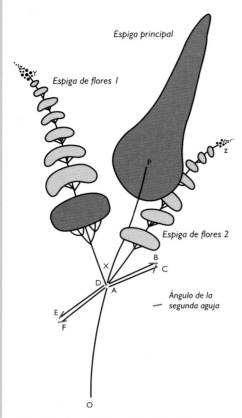

Espiga principal

Espiga de flores 1

Y

Z

P

Espiga de flores 2

B
C
X
D
A
E
F

Ángulo de la segunda aguja

O

Plantilla a la mitad de su tamaño real; ampliarla al 200%. Transferir el dibujo a la tela de lino/algodón marcando con líneas de puntos el contorno de la panícula principal y la forma de las espigas de flores 1 y 2; los cuatro puntos de las hojas (A-B, A-C, D-E y D-F), el tallo principal (O-X-P) y los dos tallos laterales (X-Y y X-Z).

También hay que hacer una segunda copia ampliada de la plantilla y recortar las figuras de la espiga principal y de la parte inferior de la espiga 1 (en tono oscuro en la plantilla).

12 m de cinta de 4 mm lila (n.° 83)

0,33 m de cinta de 7 mm crema (n.° 156)

40 x 30 cm de tela de lino/algodón; 5 x 10 cm de guata; 25 x 25 cm de seda habutai blanca; hilo de bordar mouliné verde claro (n.° 859), verde manzana suave (n.° 264), arena (n.° 854), amarillo pálido (n.° 292) e hilo de coser blanco a tono con la tela de fondo; pintura para seda en rojo amapola, magenta, azul marino y amarillo primario; pintura para tela en rojo cárdeno, azul cobalto y amarillo botón de oro.

Budleia

La budleia, o lila de verano, crece espontáneamente en muchos lugares del mundo. Con sus pequeñas flores perfumadas, que se desarrollan en inflorescencias en espiga, grandes, muy densas y en forma de cono, atrae a las mariposas y es uno de los arbustos preferidos de los jardineros.

Se ha cortado una cinta de un solo color y se ha teñido en tres tonos distintos de lila para bordar las diminutas flores sobre una tela de seda habutai. Luego, la pieza de tela se ha cosido sobre una base almohadillada para dar relieve al bordado.

Transferir el dibujo a la seda y recortar la guata

1 Colocar la seda habutai en un bastidor, prender sobre ella las dos figuras de flores (asegurándose de separarlas por lo menos 5 cm) y marcar a lápiz los puntos indicando el contorno de cada una. Retirar las plantillas recortadas, prenderlas sobre la guata y recortar por su contorno.

Pintar la cinta y la seda

2 Cortar tres trozos de 4 m de la cinta de 4 mm lila. Mezclar un poco de pintura para seda azul marino y magenta y diluirla para obtener un lila muy pálido. Humedecer una tira de cinta y pintarla a manchas para lograr un efecto moteado (ver página 15). Dejar secar. Dar un tono un poco más oscuro a la pintura y repetir con otra tira de cinta; después, hacer el tono más oscuro y repetir con la tercera tira. Dejar secar las cintas y plancharlas. Con lápiz, marcar un extremo de cada tira con las letras C (claro), M (medio) y O (oscuro) para identificarlas.

3 Con pintura para seda, hacer dos tonos de verde mezclando azul marino, amarillo primario y un toque de rojo amapola. Teñir a manchas la cinta crema de 7 mm, como en el paso 2.

4 Con las mismas mezclas de verde, pintar la pieza de seda. Aplicar la pintura con un pincel fino sobre la parte del tallo que queda en el centro de la espiga principal y añadir unas manchitas de verde a cada lado. Mezclar un poco de pintura para seda azul marino y magenta para obtener morado, diluirlo un poco y aplicar la pintura sobre las dos figuras, dando toques suaves sobre la tela con la punta del pincel y dejando que la pintura se extienda libremente. Planchar la seda cuando esté seca.

Pintar la tela de lino/algodón

5 Mezclar algo de pintura para seda azul marino con magenta para hacer morado, diluirlo un poco y aplicar manchas ligeras de pintura en las secciones de flores, utilizando un pincel duro, limpio y seco (ver página 19). Hacer una mezcla verde con una gota de pintura para seda azul marino y pintura para tela amarillo botón de oro y usar la punta de un pincel fino para pintar los capullos en lo alto de las espigas 1 y 2. Dejar secar la pintura y planchar.

Bordar las flores sobre la seda habutai

6 Cada flor mide de 6 a 7 mm de diámetro y consiste en cuatro pétalos de puntos rasos bordados desde la punta hasta el centro de la flor. Con el ojo de una segunda aguja, levantar la cinta. Dejar esta aguja en su sitio para mantener la forma del pétalo mientras se pasa la cinta hasta la punta del pétalo siguiente, retirar la aguja y bordar los demás pétalos.

7 Empezando con la cinta de 4 mm morado oscuro, bordar las flores más oscuras por el borde inferior y el lado derecho de la espiga principal (ver la fotografía de la página 49). Bordar las flores de color intermedio en el centro y terminar por las flores más claras a la

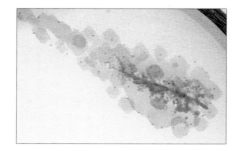

izquierda. Colocar las flores al azar, situando el primer pétalo de cada flor entre los pétalos de la anterior para que no queden huecos en la labor. Trabajar la sección inferior de la espiga 1 de igual manera.

Coser la espiga principal sobre la tela

8 Colocar la guata de la espiga principal sobre la tela de lino/algodón y mantenerla en su sitio con dos o tres puntadas largas.

9 Recortar de la seda habutai la espiga principal, dejando un margen de 1,5 cm alrededor, y prenderla con cuidado encima de la guata. Trabajando poco a poco, ir remetiendo los bordes hacia dentro, prender con alfileres y coser la espiga en su sitio a punto de dobladillo. Tener cuidado de no aplastar demasiado la guata.

10 Bordar por los bordes unas flores enteras y otras medias flores para que quede ligeramente irregular. Terminar la punta de la espiga con puntos de nudo de una vuelta, haciéndolos más apretados según se vaya llegando a la punta.

Completar la espiga principal

11 Para el tallo principal, enhebrar una aguja con cuatro hebras verde manzana suave y cuatro de arena, hacer un nudo en la punta y encerar el hilo. Salir hacia el derecho en O, pasar por detrás de las flores y volver a pasar hacia el revés por la guata en P. Rematar.

12 Con una hebra verde manzana suave y una amarillo pálido, hacer un punto de nudo de una vuelta en el centro de cada flor y de cada media flor. Tirar de los nudos hacia el revés en las flores más próximas a los bordes para acentuar el efecto de cúpula.

13 Con una hebra de cada uno de los dos hilos verdes, hacer unos cuantos puntos rasos con distinta inclinación en los espacios libres entre las flores, imitando tallos.

Espiga de flor 1

14 Hacer un hilo para tallo con dos hebras verde manzana suave y dos arena. Salir con la aguja en X y pasarla hacia el revés en Y. Rematar.

15 Recortar la seda con la parte inferior de la espiga y coserla sobre la tela de lino/algodón como antes se hizo con la espiga principal (paso 9). Seguir por el paso 10 para completar esta sección de la espiga.

16 Con una hebra verde manzana suave y una arena, hacer los tallos pequeños con puntos rasos partiendo del tallo principal hasta la base de cada sección de la espiga de flor, como se indica en la plantilla.

17 Para matizar la espiga de flor 1, con cada una de las cintas de 4 mm teñidas de morado, hacer puntos de nudo de una vuelta, dejando

más flojos los del centro, sobre las partes pintadas de la espiga. Dejar que se vean algunas de las partes pintadas del fondo para lograr mayor profundidad.

Espiga de flor 2

18 Procediendo igual que en los pasos 16 y 17, bordar el tallo de X a Z y los tallos pequeños de las bases de las flores, como se indica en la plantilla. Rellenar las secciones de flores con

puntos de nudo bordados con la cinta teñida de morado oscuro.

Hojas

19 Con la cinta de 7 mm teñida de verde, salir con la aguja en A y hacer un punto raso hasta B, luego hacer un punto de cinta a la izquierda, de A a C. Rematar. Anclar el extremo en D y hacer un punto de cinta a la izquierda hasta E y un punto de cinta a la derecha de D a F. Rematar.

Chrysanthemum

El crisantemo florece desde mediados de verano hasta bien entrado el invierno y me trae muchos recuerdos de la infancia. Todas las Nochebuenas, mi padre le traía a mi madre un enorme ramo de estas preciosas flores, que se ponían siempre en un gran jarrón de gres y su olor a naturaleza se esparcía por el ambiente: había llegado la Navidad. Existen muchas variedades: tallos con una sola flor y otros con varias; flores con una sola fila de pétalos y bolas de pétalos de forma exquisita, y otros con largos pétalos puntiagudos que se retuercen y se rizan. Con sus fuertes tallos leñosos y su amplia gama de colores, que incluye blanco, amarillo, bronce, rojizo, rosa y morado, los crisantemos son una de las flores más apreciadas tanto por los floristas como por los jardineros.

He bordado esa flor con cinta de color rosa fuerte y he matizado los pétalos con pintura para seda que, al mismo tiempo, resalta su forma. La cinta se levanta con el ojo de una segunda aguja para colocar y dar forma a cada pétalo y luego, al coser, se utiliza la punta de una aguja para levantar el extremo del pétalo y que quede por arriba del pétalo de debajo.

Mezclar la pintura

1 Mezclar pintura para seda magenta, amarillo primario y un poco de azul marino hasta tener el tono adecuado (probar en un trocito de cinta). Hacer como una cucharada de la mezcla y guardarla en un bote cerrado: es la mezcla básica para las flores.

Pintar la cinta para las hojas y la seda habutai

2 Mezclar pintura para seda azul marino con amarillo primario sobre un azulejo para obtener un verde-azul. Humedecer con agua limpia la cinta de 7 mm verde y luego teñirla a manchas para lograr un efecto moteado (ver página 15). Secar la cinta y plancharla.

3 Utilizar esa misma mezcla azul-verde para teñir la seda habutai.

Flor 1

Nota: después de bordar cada pétalo de 7 mm, rematar la cinta y cortarla antes de pasar al pétalo siguiente. (Si se pasara la cinta por el revés resultaría difícil de coser y además se estropearían o desharían los pétalos ya bordados).

4 Empezar por la fila 1 (14 pétalos) y rematar un trozo de cinta de 7 mm rosa fuerte en A.

Hacer un punto de cinta centrado invertido en B. Hacer los dos pétalos de los lados A-B de igual manera y seguir bordando alternativamente de un lado a otro hasta completar la fila. Este esquema de trabajo garantiza que los pétalos queden igualmente repartidos alrededor de la flor.

5 Poner un poco de pintura básica (ver paso 1) en un azulejo. Con la parte del ojo de una aguja levantar el primer pétalo (A-B) y pasar un pincel fino humedecido en agua limpia desde la base hasta casi la punta. Pintar el pétalo aplicando la pintura básica solamente en la base y dejar que se extienda (como la punta está seca, no manchará la tela de fondo). Pintar los demás pétalos de igual manera y dejar secar.

Flor 1
Capullo
Flor 2
Cáliz

Pétalos de 7 mm
..... Fila 1
—— Fila 2
. Fila 3
○ Fila 4
／ Inclinación de la segunda aguja

Hoja 2 *Hoja 1* *Hoja 3*

Plantilla a la mitad de su tamaño; ampliarla al 200%. Empezar por marcar los dos extremos de cada pétalo en la fila 1 de la flor 1. Levantar la plantilla y dibujar las líneas de conexión. Repetir para la fila 2, marcar los puntos de las filas 3 y 4 (cada punto representa un pétalo), los siete pétalos exteriores por detrás de la flor (representados por siete líneas verticales) y las cinco filas curvas de las líneas de pétalos en el centro. Volver a prender la plantilla y repetir para las filas 1 y 2 de la flor 2 y para los pétalos del capullo. Marcar la base del tallo principal y su intersección con los otros dos tallos. Por último, marcar cada extremo de las hojas y dibujar las líneas de conexión de las dos hojas largas solamente.

5 m de cinta de 7 mm rosa fuerte (n.º 25)

2 m de cinta de 4 mm rosa fuerte (n.º 25)

1,5 m de cinta de 4 mm albaricoque (n.º 167)

0,75 m de cinta de 4 mm verde suave (n.º 33)

1,5 m de cinta de 7 mm verde claro (n.º 31)

33 x 33 cm de tela de lino/algodón; 3 x 3 cm de guata; 5 x 5 cm de seda habutai blanca; hilo de bordar mouliné marrón suave (n.º 904), marrón (n.º 393), musgo intenso (n.º 268), arena (n.º 854) e hilo de coser blanco a tono con la tela de fondo; pintura para seda en magenta, azul marino y amarillo primario; tarro pequeño con tapa de rosca.

6 Los 13 pétalos de la fila 2 se bordan con puntos de cinta invertidos y doblados para formar la punta fina (ver página 31). Trabajar desde el centro de la fila hacia fuera, utilizando la misma cinta que antes. Esta vez, levantar la cinta un poco más para que quede por encima de la fila 1, y antes de rematar, levantar el extremo con la punta de una aguja y dirigirla ligeramente hacia la derecha (hacerlo así cuando el pétalo quede encima de otro pétalo u hoja). Pintar los pétalos para completar la fila 2.

7 La fila 3 (12 pétalos) se hace como la fila 2, pero dando las puntadas un poco más cortas y levantándolas por encima de la fila anterior. Los puntos indican la base de cada pétalo. No pintar aún estos pétalos.

8 Cambiar a la cinta de 4 mm rosa fuerte y bordar los siete pétalos verticales a punto de cinta centrado, en la parte de detrás de la flor. Trabajar de izquierda a derecha para conectar con cada extremo de la fila 1. Pintar estos pétalos y los de la fila 3.

9 Con la cinta de 4 mm albaricoque hacer una fila de seis puntos de cinta centrados sobre la base de los anteriores pétalos de 4 mm. Situarlos con las puntas justo abajo y entre los pétalos de la fila de debajo. Utilizar como guía la línea marcada en la plantilla. Mezclar un poco del color básico con algo de magenta para hacer un rosa más intenso y pintar los centros de estos pétalos, dejando las puntas sin pintar.

10 Hacer la fila 4 (8 pétalos) igual que la fila 3, con cinta de 7 mm rosa fuerte. Pintar todos los pétalos con la mezcla básica.

11 Hacer otra fila de pétalos con cinta de 4 mm albaricoque, bordados a punto de cinta centrados, justo debajo de la fila anterior de pétalos de 4 mm. Abrir ligeramente las

puntadas en abanico y pintar los pétalos como en el paso 9. Hacer otras dos filas de estos pétalos, parando a 5 mm de la base de la fila 4 y pintando cada fila conforme se termina. Utilizar como guía las líneas en curva que están marcadas en la plantilla.

12 Con la cinta de 4 mm albaricoque y teniendo en cuenta la dirección de la curva, bordar una fila de puntos rasos. Salir con la aguja justo debajo de la última fila de pétalos de 4 mm y clavar la aguja hacia el revés justo debajo de las puntas de los pétalos de la fila 4. Utilizar el ojo de una segunda aguja para controlar la cinta, levantando los pétalos para que el centro de la flor quede más tupido.

13 Con la cinta de 7 mm rosa fuerte, bordar tres o cuatro pétalos situados al azar, con punto de cinta doblado e invertido, abriéndolos en abanico ligeramente y levantándolos por encima de los pétalos de 7 mm de debajo para rellenar más la flor. Pintar estos pétalos con la mezcla básica para completar la flor 1.

Flor 2

14 Los pétalos de esta flor se bordan todos a punto de cinta centrado con la cinta de 7 mm rosa fuerte. Hacer la fila 1, pintar los pétalos con la mezcla básica (ver paso 5) y hacer luego la fila 2. Pintar estos pétalos de igual modo.

15 Cortar un trozo de guata ligeramente mayor que el cáliz y luego cortar una pieza de seda teñida de verde que sobresalga 1 cm alrededor. Cubrir la guata con esta seda, remeter los bordes y colocarla en el centro de la flor. Coserla en su sitio a punto de dobladillo con hilo a tono. Marcar a lápiz la posición del tallo.

16 Enhebrar una cinta de 4 mm verde suave y salir con la aguja por la tela arriba del tallo. Hacer una serie de puntos de cinta centrados que irradien hacia fuera, pasando la aguja hacia el revés por las bases de los pétalos. Dejar un pequeño agujero en el centro.

Capullo

17 Con cinta de 4 mm rosa fuerte, hacer los pétalos 1 a 5 por orden, a punto de cinta centrado. Con una segunda aguja, curvar y dar forma a los pétalos. Hacer los puntos de A a E por orden, a punto de cinta a la derecha en A y en C, y a punto de cinta a la izquierda en B, D y E. Pintar estos pétalos con la mezcla básica. Hacer ahora dos filas de pétalos a punto raso

abiertos en abanico y rellenar el espacio entre los pétalos A y B como indica la línea curva de la plantilla. Pintar estos pétalos como antes.

18 El cáliz, que se borda con cinta de 4 mm verde suave, consiste en seis puntos de cinta centrados hechos en la base de los pétalos y ligeramente abiertos en abanico.

Aquí he bordado distintos tipos de capullos de crisantemo (¡siempre parece que hay tantos en un solo tallo!). Los capullos pequeños varían poco, pero se puede aumentar su tamaño y añadir más pétalos para modificar su grado de madurez, utilizando la misma cinta que para las flores.

Tallos

19 Los tallos se bordan con tres hebras de hilo marrón suave, tres de marrón, tres de musgo intenso y una de arena. Tensar ligeramente las hebras y unirlas para formar un solo hilo. Hacer un nudo en la punta. Humedecer un trozo de jabón y pasarlo varias veces desde el nudo hasta la otra punta. Enhebrar el hilo en una aguja grande. Salir con la aguja entre los pétalos de la flor I (ver plantilla) y clavarla hacia el revés en la base del tallo. Salir ahora con la aguja en la base del tallo de la flor 2 y bajar por el dorso de la flor. Rematar. Por último, hacer el tallo del capullo y rematar. No coser todavía por encima los tallos (se hará más adelante, cuando las hojas estén bordadas).

Hojas

20 Para la hoja I, anclar una cinta en la base de A y hacer un punto de cinta centrado invertido en A. Rematar y repetir con B y C, situándolos detrás de los tallos.

21 Para la hoja 2, hacer un punto raso en A y B, un punto de cinta a la izquierda en C, un punto de cinta a la derecha en D y puntos rasos en E y F. Salir con la cinta en X y, con un hilo de coser a tono, dar unas pequeñas puntadas por encima en Y para mantener la cinta en su sitio. Hacer en F un punto de cinta centrado para completar la hoja. Rematar.

22 Para la hoja 3, dar puntos rasos en A, B y C y hacer un punto de cinta a la izquierda en D y un punto de cinta centrado invertido en E. Trabajar F como en la hoja 2. Rematar.

23 Para terminar, coser por encima la parte inferior de los tallos para formar una curva.

Las tres primeras flores de crisantemo están bordadas a punto raso con cinta de 4 mm. La flor blanca, número I, se ha sombreado ligeramente con gris muy claro y un toque de amarillo, y la flor amarilla, número 2, se ha dejado sin pintar. En la flor 3 se han utilizado 3 tonos de cinta roja, empezando por el más oscuro debajo, luego el intermedio y por último el más claro por encima.

La flor 4 es un crisantemo araña bordado con cinta blanca de 2 mm teñida a manchas. Los pétalos son puntos rasos retorcidos (ver página 28). Los puntos se clavan en el centro mismo de la flor, que se ha sombreado en un tono más intenso.

Crambe

El crambe, o col marítima, con sus fuertes tallos y sus grandes hojas basales semejantes a las de la col, muestra una apariencia escultórica. Su gran masa de diminutas flores blancas, similar a una versión ampliada de la gipsófila, es muy apreciada y utilizada por los floristas. Las flores, a veces perfumadas, tienen cuatro pétalos erguidos orgullosamente sobre los tallos y resisten bien los vientos de la costa, como sugiere su nombre.

— *Tallos y flores del fondo*

— *Tallos y flores del primer término*

Plantilla a mitad de su tamaño real; ampliarla al 200%. Transferir los tallos dibujados en verde en la plantilla, retirar esta y bordarlos. Volver a colocar la plantilla en su sitio y transferir y bordar los demás tallos. Volver a colocar la plantilla para transferir las flores dibujadas en negro. Marcar suavemente las cuatro rayas de pétalos de cada flor. Por último, volver a colocar la plantilla y marcar la posición de las flores verdes, incluyendo los puntos.

También se puede marcar únicamente la posición de unas flores y bordar las demás a ojo.

5 m de cinta de 2 mm blanca (n.° 03)

30 x 38 cm de tela de lino/algodón; hebras de hilo de bordar mouliné verde claro (n.° 859), marrón (n.° 393) e hilo blanco de coser a tono con la tela de fondo; pintura para seda en azul marino; pintura para tela en amarillo primario.

Tallos

1 Cortar 50 cm de cada hilo y formar un hilo para el tallo con cuatro hebras de verde y dos de marrón. Enhebrarlas y hacer un nudo en un extremo. Humedecer un trozo de jabón y pasar el hilo suavemente sobre él, partiendo del nudo. Repetir cuando la parte enjabonada se haya utilizado en el bordado.

2 Salir con la hebra en A y coserla por encima en su sitio en B, C, D y a lo largo de E. Tomar una hebra de color marrón y otra verde y pasarlas hacia el revés, rematándolas. Coser por encima dos hebras solamente hasta F1, rematarlas por el revés y coser luego por encima las otras dos hebras hasta G y F2. Rematarlas por el revés. Cortar otras dos hebras de estas para bordar de G a F3. Rematar.

3 Pasar el jabón por el hilo cuando haga falta. Utilizar tres hebras verdes y una de color marrón para hacer el tallo D-H-I. Dividir las hebras y, con dos de ellas, hacer el tallo hasta J1 y J2. Bordar de H a J5 y J6 y de K a J3 y J4 de igual modo.

4 Enhebrar tres hebras color marrón y una verde y salir con ellas en B. Coserlas por encima en L, luego coser por encima dos hebras marrón en M y N1 y rematarlas por el revés. Con las otras dos hebras, bordar M-N2 y O-N3.

5 Coser por encima dos hebras color marrón desde L, en P, Q y R, rematar y utilizar luego dos hebras verdes para los tallos que empiezan en P y Q.

6 Dibujar los tallos restantes con la plantilla. Bordar de C a S con tres hebras de verde y una de marrón y dividir las hebras como se ha hecho antes para completar los tallos.

Flores

Nota: trabajar la cinta de 2 mm en trozos cortos (de unos 33 cm de largo), porque la cinta estrecha se deteriora ligeramente al pasar por la tela.

1 Copiar las flores del fondo de la plantilla (representadas en negro). Enhebrar una cinta blanca de 2 mm en una aguja del n.° 24 y hacer un nudo en un extremo. Empezando por una flor de arriba de un tallo principal, hacer un agujero en el centro de la flor con una aguja grande. Salir con la aguja enhebrada por la punta de un pétalo y pasar hacia el revés por el agujero del centro haciendo un punto raso, levantando la cinta con el ojo de una segunda aguja. Mantener esa segunda aguja en su sitio y salir con la cinta por la punta del pétalo siguiente, luego retirar la segunda aguja para dar forma a este nuevo pétalo mientras se pasa la cinta hacia el revés por el agujero del centro. Formar los otros dos pétalos de igual modo.

8 Bordar las flores del primer término por grupos, partiendo del extremo de arriba de los tallos hacia abajo; completar las flores que estén próximas antes de pasar al grupo siguiente. No cruzar la cinta por el revés de la labor.

9 Copiar las flores de fondo de la plantilla. Las que están marcadas con una cruz se hacen igual que las del primer término; las demás (representadas con puntos en la plantilla) son puntos de nudo. Las de los extremos de los tallos se bordan con puntos de nudo de una sola vuelta, y las de un poco más abajo con puntos de nudo de dos vueltas.

Ramitas laterales

10 Las ramitas laterales unen las flores a los tallos principales. Se cosen a ojo, guiándose por la fotografía de más arriba. Empezar siempre en lo alto de un tallo principal y trabajar hacia abajo con dos hebras verdes para las flores principales y una hebra para las de punto de nudo. Para bordar las ramitas laterales, salir con la aguja en la base de la flor y hacer un punto raso hasta el tallo principal un poco más abajo, pasando el hilo por detrás de las flores cuando sea necesario. No tensar demasiado los puntos y no cruzar las hebras por el revés de la labor.

Pintar las flores

11 Mezclar pintura para seda en azul marino con pintura para tela en amarillo primario y obtener así un verde intermedio, y, con la punta de un pincel fino, pintar justo el centro de cada flor. Añadir un toque de color en el centro de los puntos de nudo.

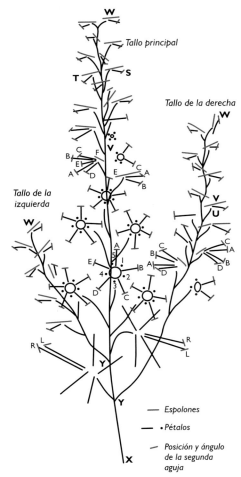

W

Tallo principal

T

S

Tallo de la derecha

W

C F
B E
A D E C A

B

Tallo de la izquierda

W

V

U

A
5
B 1
4 2 B A
3
D C

R L R
R L
L

Y

Y

X

— *Espolones*

— *Pétalos*

— *Posición y ángulo de la segunda aguja*

Plantilla a la mitad de su tamaño real; ampliarla al 200%. Empezar por transferir solo los tallos. Cuando se hayan bordado los tres tallos principales y los laterales (únicamente los que bajan hasta la V del tallo principal y los tallos de la derecha), se vuelve a colocar la plantilla para transferir el resto del dibujo. Marcar las hojas, las flores parcial o totalmente abiertas (los finales de los pétalos y de las hojas y los puntos alrededor de los centros de flor), luego levantar en parte la plantilla y dibujar las líneas de conexión y los círculos de los centros. Volver a colocar la plantilla y marcar la posición de los capullos, dibujando solamente las líneas de los pétalos.

4 m de cinta de 7 mm azul suave (n.° 125)

2,5 m de cinta de 4 mm azul suave (n.° 125)

1 m de cinta de 7 mm verde claro (n.° 31)

33 x 40 cm de tela de lino/algodón; hilo de bordar mouliné verde claro (n.° 859), verde manzana suave (n.° 264), arena (n.° 854), negro (n.° 403), e hilo de coser blanco a tono con la tela de fondo; pintura para seda en magenta, azul marino y amarillo primario; pintura para tela en amarillo primario y verde.

Delphinium

Esta regia flor tan bonita, con sus espigas tupidas de florecitas perfectas, crece silvestre en regiones de montaña. ¡Qué magnífico espectáculo! Sus colores incluyen blanco, azul, violeta y rosa y también amarillo y rojo. Sin duda es una de mis flores preferidas.

Esta variedad es de flor doble, pero se puede bordar la variedad de flor sencilla omitiendo los pétalos de arriba. Para hacer una espiga de flor como esta, empezar siempre por las flores de mayor tamaño de la base y hacerlas cada vez más pequeñas hacia arriba.

Pintar la cinta

1 Sobre un azulejo, mezclar pintura para seda magenta con un poco de azul marino para obtener un azul ligeramente malva y diluirlo con un poco de agua. Humedecer con agua limpia la cinta de 7 mm azul suave y teñirla a manchas para lograr un efecto moteado (ver página 15). Dejar secar la cinta y plancharla.

2 Añadir un poco de agua a la pintura para lograr un tono aún más claro y teñir de igual modo la cinta de 4 mm azul suave.

3 Mezclar pintura para seda azul marino con amarillo primario para conseguir un verde azulado, diluirlo un poco y teñir la cinta verde claro como las anteriores cintas.

Tallo principal

Nota: evitar cruzar hebras por el revés del bordado. Se rematan y se cortan o bien se pasan directamente por detrás del tallo recién bordado.

4 Enhebrar dos hebras de hilo verde manzana suave y hacer un nudo en la punta. Salir con la aguja en W, en la punta del tallo principal del centro y extender las hebras hasta X. Prender la base del tallo sobre la tela para mantenerlo en su sitio.

5 Con otras dos hebras más del mismo hilo, hacer el tallo lateral de la izquierda. Salir con la aguja en la punta del tallo lateral y pasarla hacia el revés, donde se une con el tallo principal, coser por encima el hilo en su sitio y rematar. Bordar los tres tallos laterales siguientes de igual modo, rematando cada uno por el revés al terminar.

6 Con una hebra de hilo verde manzana suave y una de verde claro, hacer el siguiente tallo lateral desde arriba (S), pero llevando ahora el hilo hasta la base del tallo (X) en lugar de pasarlo hacia el revés y situarlo por debajo del alfiler. Repetir para el siguiente tallo lateral (T), aumentando hasta seis el número de hebras del tallo principal. Pasar todas las hebras hacia el revés en X, coser por encima el tallo principal y los dos laterales (S y T) y rematar.

7 Utilizar las mismas dos hebras para bordar el resto de los tallos solamente hasta V (todos los demás tallos laterales se trabajan después de bordar las flores).

Tallos de la derecha y de la izquierda

8 Con dos hebras de verde manzana suave, como antes, hacer el tallo de la derecha W-Y igual que el tallo principal, prendiéndolo en Y. Hacer los demás tallos laterales hasta V. Hacer el tallo lateral siguiente de la derecha (U) utilizando una hebra de cada verde, pero llevando solo la hebra verde hasta Y. Pasar las tres hebras hacia el revés de la labor en Y, coser por encima el tallo en su sitio y rematar.

9 Con dos hebras de verde manzana pálido, bordar el tallo de la izquierda y cada tallo a los lados de este. Coserlos por encima como antes.

Flores abiertas

Nota: trabajar siempre los pétalos por orden alrededor del centro de la flor; evitar cruzar la cinta en el centro por el revés de la labor porque se podría atravesar con la aguja. Rematar la cinta al terminar cada flor.

10 Empezar por la flor grande de en medio, abajo del tallo principal. Anclar una cinta azul de 7 mm teñida, en la base del pétalo A. Con el ojo de una segunda aguja controlar la cinta y ahuecarla en la punta del pétalo mientras se hace este con un punto raso. Hacer los pétalos B a E de igual modo.

11 Bordar los pétalos interiores (1 a 5) de manera que la presilla del borde quede justo por dentro de los pétalos de fuera. Salir con la aguja en 1 y formar un pétalo doblando la cinta sobre el ojo de una segunda aguja. Tender la cinta sobre el centro de la

flor y hacer un punto de cinta centrado, pinchando la aguja en la cinta justo dentro del círculo central. Mantener la segunda aguja en el doblez mientras se tira de la cinta para pasarla hacia el revés y completar la puntada. Salir con la aguja de nuevo en 2, retirar la segunda aguja y hacer los pétalos 2 a 5 por orden, del mismo modo.

12 Enhebrar una aguja fina con dos hebras de hilo negro y hacer un nudo en la punta. Salir con la aguja en el centro del pétalo 1, a 5 mm de su base, y pincharla hacia el revés en el borde del círculo dando un punto raso. Repetir en los pétalos 2 a 5.

13 Hacer un grupo de estambres en el centro de la flor con una hebra de verde manzana suave y una de arena (ver página 38).

14 Bordar el resto de las flores abiertas de igual manera, utilizando un punto de cinta centrado para los pétalos señalados con un punto, y un punto raso para los señalados con una raya.

Flores parcialmente abiertas

15 Bordar a punto raso los pétalos de las cuatro flores a medio abrir, con cinta de 7 mm azul teñida. Observar el ángulo de la segunda aguja indicado en la plantilla y hacer los pétalos por orden alfabético. Con cinta de 4 mm azul teñida, hacer los espolones a punto raso.

Espolón

Capullos

16 Con cinta de 7 mm azul teñida, hacer los capullos grandes; para los capullos pequeños y todos los espolones utilizar la cinta de 4 mm. Bordar los pétalos y los espolones a punto raso, dándoles forma y curvándolos como se indica en la página 27, con ayuda de una segunda aguja. Situar algunos capullos debajo del tallo.

Completar los tallos

17 Con una hebra de verde manzana suave y una de verde claro, hacer el resto de los tallos laterales (ver paso 5). Coserlos por encima para mantenerlos en su sitio.

Las hojas

18 Con cinta de 7 mm verde teñida, hacer las cuatro hojas inferiores de cada tallo con puntos de cinta centrados. Bordar las cuatro hojas principales a punto de cinta a la izquierda

y a la derecha (indicadas con las letras L y R respectivamente en la plantilla). Completar los tallos como antes (ver paso 15).

Pintura

19 Añadir un toque de verde a la base de cada capullo empleando una mezcla diluida de azul marino y amarillo primario para seda.

20 Mezclar pintura para tela verde con un poco de amarillo y, con un pincel fino, pintar unas finas nervaduras en cada hoja. Dejar secar. Mezclar un poquito de pintura para seda azul marino con amarillo primario para obtener un verde más intenso y sombrear ligeramente las hojas. Dejar secar.

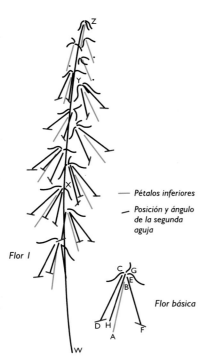

— *Pétalos inferiores*

— *Posición y ángulo de la segunda aguja*

Flor 1

Flor básica

Plantilla a la mitad a su tamaño real; ampliarla un 200%. Transferir únicamente el tallo principal y los pétalos dibujados en rosa. Trazar suavemente las líneas de conexión. Volver a colocar la plantilla y marcar bien el extremo de los dos pétalos exteriores de cada flor.

0,75 m de cinta de 13 mm rosa (n.° 08)

0,5 m de cinta de 7 mm rosa (n.° 08)

2 m de cinta de 7 mm rosa intenso (n.° 128)

1,5 m de cinta de 4 mm musgo (n.° 20)

27 x 33 cm de tela de lino/algodón; hilo de bordar mouliné verde manzana suave (n.° 264) e hilo de coser blanco a tono con la tela de fondo; pintura para seda en magenta y azul marino; pintura para tela en amarillo primario, amarillo botón de oro y blanco.

Digitalis

La esbelta y elegante dedalera se alza orgullosa, incluso arrogante, con sus delicadas flores en forma de campanillas tubulares. Crece silvestre en sotobosques de casi todo el mundo y es muy común en los bosques cercanos a donde yo vivo. Las flores, en las que cabe un dedo, atraen a las abejas y presentan distintas tonalidades que van del rosa al malva cuando son silvestres, aunque las cultivadas pueden ser de muchos colores. Para los pétalos he utilizado cinta rosa pálido y rosa intenso, y he pintado unas manchas antes de sombrear sutilmente cada una de las flores.

Pintar el hilo para el tallo

1 Mezclar pintura para seda azul marino con un poco de pintura para tela de los dos amarillos para obtener un verde intenso. Cortar 66 cm de hilo verde manzana y enrollarlo sin apretar sobre tres dedos. Humedecerlo con agua limpia y luego poner el rollo de hilo sobre la pintura y tintarlo con un pincel pequeño y fuerte. Colgarlo para que se seque.

Tallo

2 Cortar por la mitad el hilo teñido de verde y sacar de ellos diez hebras en total, de una en una, y volverlas a juntar para hacer el hilo del tallo. Hacer un nudo en una punta, enhebrarlo y frotar sobre él un trozo de jabón humedecido partiendo del extremo del nudo.

3 Salir con la aguja en W y pasar el hilo entre el pulgar y una aguja gruesa para aplastarlo y dejarlo más ancho en la base. Tender el hilo en su sitio, pasando tres hebras hacia el revés en X, repetir en Y y pasar las otras cuatro hebras en Z. Comprobar que las hebras del tallo mantienen la forma y volver a untar de jabón si hiciera falta. Rematar todas las hebras.

4 Utilizar un hilo de color para dar unas puntadas rasas provisionales separadas a lo largo del tallo para mantenerlo en su sitio mientras se bordan las flores (este hilo se quitará cuando la labor esté terminada).

Flores

Nota: cuando se rematen los extremos de una cinta de 7 o de 13 mm (ver página 23), dar dos puntadas cruzadas a lo ancho de la cinta, escondidas detrás del pétalo que se vaya a hacer, para que no quede retorcida por el derecho. Anclar así todos los pétalos.

5 Anclar el extremo de una cinta de 13 mm rosa en A, de la flor 1. Hacer un punto de cinta centrado en B utilizando un bastoncillo de algodón para levantar la cinta y dar forma a la punta del pétalo.

6 Anclar una cinta de 7 mm rosa intenso en C y hacer un punto de cinta centrado en D. Obsérvese el ángulo de la segunda aguja que se coloca en la presilla mientras se tira de la cinta por el revés; inclinar esta aguja de modo que el borde de la cinta en el centro quede levantado para empezar a dar forma al tubo. Anclar la

misma cinta en E y hacer un punto de cinta a la derecha en F, luego anclar la cinta en G y hacer un punto de cinta centrado en H, levantándolo para completar la forma curva del tubo en la base de la flor. Rematar.

7 Bordar igual las cuatro flores siguientes subiendo por el tallo. Hacer las cuatro siguientes un poco más pequeñas a punto raso con solo dos pétalos rosa intenso encontrados en el centro. Para las tres flores siguientes, que son aún más pequeñas, utilizar la cinta de 7 mm rosa para el primer punto (dibujado en rosa en la plantilla) y hacer puntos rasos por encima de él con la cinta rosa intenso. La flor de más arriba se hace con un punto raso en rosa y por encima de él otro punto raso rosa intenso, dejando que asome a un lado un toque de color del pétalo de debajo.

Pintar las flores

Nota: poner el bordado sobre una almohadilla de espuma y utilizar alfileres para mantener los pétalos retirados de los que se estén pintando (ver página 17). Pintar las flores de una en una, partiendo de la base del tallo hacia arriba. Tener cuidado de que la pintura no penetre en la tela de fondo.

8 Con pintura para tela blanca y la punta de un pincel fino, pintar unos puntitos al azar sobre la parte inferior del pétalo rosa pálido de cada flor y dejar secar. Mezclar un poco de pintura para seda azul marino y magenta y diluirla hasta obtener un malva pálido. Con cuidado, humedecer la parte visible del pétalo de debajo, partiendo del borde enrollado hacia la base de la punta enrollada de los pétalos rosas de arriba y luego aplicar un poco de pintura y permitir que se extienda hacia la punta. Dejar secar.

9 Mezclar la pintura azul marino y la magenta dándole un tono algo más fuerte que el rosa intenso de la cinta y diluirla un poco. Con cuidado, humedecer los pétalos rosa intenso desde la base hasta donde se clavó la aguja

hacia el revés y pintar solo la parte de arriba de cada pétalo y el lateral que esté más cerca del tallo.

10 Pintar el resto de las flores de igual modo.

11 Mezclar un poco más de pintura rosa intenso para que el color quede más fuerte y diluir ligeramente. Sin humedecer la cinta, volver a pintar algunos pétalos por el lado más sombreado. Cuando la pintura esté seca, utilizar pintura blanca para tela sin diluir con el objeto de poner luces en la zona más saliente –la pintura se extenderá poco a poco por la cinta y aportará un efecto de relieve a la flor terminada–.

12 Mezclar un poco de pintura blanca para tela con algo de pintura para seda azul marino y un toque de magenta, con el fin de obtener un malva marrón. Con la punta de un pincel fino, poner un puntito en el centro de los puntos blancos pintados en la cinta rosa pálido. Dejar secar.

Las hojas

13 Guiándose por las fotografías y la plantilla, bordar al azar las hojas a punto de cinta con la cinta de 4 mm musgo, remetiendo algunas por debajo de los pétalos de las flores. Empezar por hacer las hojas más pequeñas de arriba.

14 Mezclar un poco de pintura para tela amarillo primario con un toque de pintura azul marino para seda y obtener así un verde intenso y, con un pincel fino, pintar algunas zonas oscuras junto al extremo del tallo de cada hoja. Dejar secar.

Para terminar

15 Retirar las puntadas temporales que sujetaban el tallo en su sitio. Pasar el ojo de una aguja grande por dentro del rollito de la punta de los pétalos para darles buena forma y colocar y levantar los pétalos que se hayan desplazado al pintarlos.

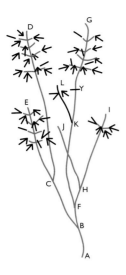

Plantilla a la mitad de su tamaño real; ampliarla al 200%. Transferir el dibujo después de pintar el fondo. Marcar los extremos de los tallos y los puntos en que se cruzan dos tallos. Bordar los tallos, volver a colocar la plantilla y marcar solamente el pétalo central de las flores de tres pétalos; marcar los dos pétalos de las flores de dos pétalos y pintar un punto en la base de las flores de un pétalo.

2,5 m de cinta de 4 mm blanca (n.° 03)

1,5 m de cinta de 2 mm musgo (n.° 20)

26 x 30 cm de tela de lino/algodón; hilo de bordar mouliné musgo intenso (n.° 268), musgo (n.° 266), azul porcelana (n.° 118) e hilo de coser blanco a tono con la tela de fondo; pintura para seda en rojo amapola, azul marino y amarillo primario; 20 cm de cordel de cocina.

Erica

El brezo es una planta robusta, perenne, de vigoroso crecimiento y que, cuando está en flor, llena de color extensas zonas de páramos y regiones pantanosas. En general tiene hojas finas como agujas de color verde, pero algunas variedades presentan hojas que van del amarillo al naranja y al rojo, mientras las diminutas flores en forma de campanilla varían del blanco a todas las tonalidades del rosa y del morado.

Se ha utilizado un cordel de cocina, teñido y con las vueltas deshechas, para representar el tallo leñoso. Las hojas del fondo se han trabajado con hilo de bordar y unas cuantas del primer término con cinta de 2 mm. Las flores principales en forma de campanilla tienen tres pétalos: un punto raso sugiere la parte de atrás de la flor, y un punto de cinta a la izquierda y otro a la derecha bordados por encima forman la campanilla inclinada hacia delante. Unas flores de dos pétalos cuelgan hacia abajo, y las flores semiabiertas y los capullos se han representado con un solo punto raso.

Pintar el fondo

1 Mezclar pintura para seda en amarillo primario y azul marino para obtener dos verdes y diluirlos hasta que queden muy pálidos (no importa que los colores se mezclen un poco en el azulejo). Humedecer la tela con agua limpia y luego aplicar la pintura a manchas en la zona que se vaya a bordar. Mientras se seca, pintar el cordel para el tallo (paso 2).

Pintar el cordel

2 Mezclar amarillo primario con azul marino para obtener un verde intenso y añadirle un toque de rojo amapola para conseguir un marrón-gris fuerte. Humedecer el cordel, escurrirlo de agua con papel de cocina y dejarlo caer en la pintura. Con un pincel fuerte, empaparlo bien de pintura. Mientras se seca, pintar la cinta para las hojas (paso 3).

Pintar la cinta para las hojas

3 Hacer un verde intenso, humedecer la cinta de 2 mm musgo y teñirla a manchas. Dejar secar y plancharla.

Tallos

Nota: para eliminar los nudos y las vueltas del cordel, humedecerlo con agua utilizando un pincel pequeño y fuerte.

4 Cortar un trozo de 15 cm de cordel teñido y eliminar el retorcido, excepto en 4 cm de un extremo. Humedecer el cordel con un poco de agua para darle forma más fácilmente y situar el extremo retorcido en A. Prenderlo con un alfiler en B, por detrás de la labor. Llevar una hebra del cordel hasta C, desenrollarla parcialmente y llevar la parte más gruesa hasta D. Cortar la punta en diagonal y coserla por encima dando dos o tres puntadas con un hilo de coser a tono. Repetir para C-E con la hebra más fina.

5 Llevar ahora el resto del cordel de B a F, eliminando el retorcido, y coser por encima una hebra de F a G. Repetir el paso 4 para el tallo F-H y luego para H-I y H-J.

6 Utilizar una hebra fina de cordel para el tallo K-L y los tallos de la flor pequeña. Coserlos por encima.

Hojas

7 Formar un hilo con dos hebras de musgo intenso y una de musgo, enhebrarlo y anudar un extremo. Guiándose por la fotografía y la plantilla, hacer un punto raso para cada una de las hojitas arriba del tallo C-D y bordar luego las hojas pequeñas de cada rincón entre el tallo principal y el tallo de las flores. Hacer grupos de tres hojitas a intervalos, bajando por el tallo, y situarlos como se ve en las fotografías.

8 Trabajar de igual modo los tallos C-E y H-I, con el mismo hilo. Para los tallos H-J, K-L y K-G, utilizar tres hebras de musgo intenso. Trabajar el tallo K-G hacia abajo hasta Y y rematar.

Flores

Nota: las flores principales tienen tres pétalos: uno central que se borda con un punto raso y dos puntos de cinta algo más cortos a la izquierda y a la derecha arriba del anterior para formar la campanilla. Cada flor principal mide de 5 a 7 mm de largo. Unas cuantas flores consisten en dos puntos de cinta, y hay cuatro flores de fondo que se hacen con un solo punto de cinta.

Situar el ojo de una segunda aguja en la presilla del punto de cinta para formar el labio del pétalo y para evitar tirar demasiado de la cinta y destruir la forma del pétalo. Para

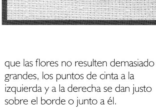

que las flores no resulten demasiado grandes, los puntos de cinta a la izquierda y a la derecha se dan justo sobre el borde o junto a él.

9 Enhebrar 33 cm de cinta blanca de 4 mm en una aguja del n.º 18, anudar un extremo y salir con la aguja en la base de una flor de tres pétalos. Tensando la cinta sobre el ojo de una aguja del n.º 24, hacer el pétalo central (ver nota más arriba). Sin retirar la segunda aguja, salir con la cinta por la tela justo arriba de la base del primer pétalo. Hacer el pétalo de la izquierda con un punto de cinta a la izquierda, retirar la segunda aguja y pasarla por la presilla para dar forma a este pétalo. Repetir con el pétalo de la derecha, que se hace con un punto de cinta a la derecha. Dejar la segunda aguja en su sitio.

10 Salir con la cinta por la base de la siguiente flor de tres pétalos en ese mismo tallo, retirando la segunda aguja de la primera flor solo cuando se necesite dar forma

al pétalo central. Completar el resto de las flores de tres pétalos y luego bordar las de dos pétalos del tallo. Rematar.

11 Bordar las flores de los otros tallos de igual manera.

Completar las hojas

12 Con cinta de 2 mm verde teñida, bordar los puntos de cinta para completar las demás hojas, guiándose por la fotografía.

Centro de las flores

13 Enhebrar una hebra de azul porcelana y una de musgo intenso en una aguja fina y anudar un extremo. Hacer un punto de nudo de una vuelta en el pétalo central de cada flor de tres pétalos, remetiéndolo por debajo de los dos pétalos de arriba para que asome ligeramente.

Euphorbia

La Navidad no sería igual sin los destellos rojos de la poinsetia. También llamada flor de Pascua, suele ser de un color rojo intenso, aunque hay variedades de rojo más claro, e incluso rosas y blancas.

Lo que parecen pétalos son en realidad brácteas y se bordan después de las hojas. He utilizado sobre todo cinta de 13 mm y puntos de cinta, con algún punto raso para dar forma a las hojas y a los pétalos.

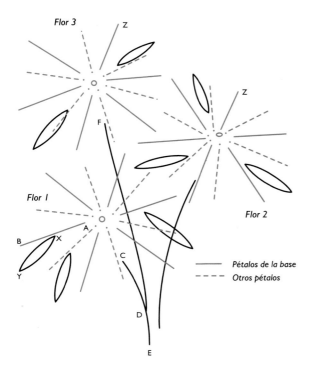

Flor 3
Z
Z
F
Flor 1
Flor 2
B
X
A
C
Y
D
E

Pétalos de la base
Otros pétalos

Plantilla a la mitad de su tamaño real; ampliarla al 200%. Marcar los extremos de todos los pétalos y de las hojas en la base de cada tallo. Retirar la plantilla y dibujar suavemente las líneas de conexión solo de los pétalos de la base (representados con líneas continuas rojas en la plantilla) y el gran punto central de cada flor.

3 m de cinta de 13 mm rojo amapola (n.° 02)

1 m de cinta de 13 mm verde claro (n.° 31)

0,5 m de cinta de 4 mm verde claro (n.° 31)

0,5 m de cinta de 2 mm verde claro (n.° 31)

38 x 33 cm de tela de lino/algodón; hilo de bordar mouliné musgo intenso (n.° 268), musgo (n.° 266), verde manzana suave (n.° 264), amarillo (n.° 305) e hilo de coser blanco a tono con la tela de fondo; pintura para seda en rojo amapola, azul marino y amarillo primario; pintura para tela en azul cobalto y amarillo botón de oro.

Pintar la cinta para las hojas

1 Mezclar pintura para seda azul marino y amarillo primario para obtener un verde vivo. Humedecer la cinta verde claro de 13 mm y pintarla luego a lo largo con un pincel ancho y fuerte. Dejar secar la cinta y plancharla.

Hojas

Nota: rematar la cinta al terminar cada pétalo o cada hoja.

2 Empezando por la flor 1, anclar un extremo de la cinta de 13 mm verde teñida en la base de una de las hojas (X) y hacer un punto de cinta centrado en Y. Rematar y bordar las otras dos hojas.

3 Mezclar pintura para tela azul cobalto y amarillo botón de oro para obtener un verde intenso. No diluirlo. Con la punta de un pincel fino y seco, pintar con cuidado las nervaduras. Dejar secar.

4 Con pintura para seda, obtener otro verde intenso. Humedecer ligeramente una hoja con agua y pintarla con suavidad para sombrearla por debajo del pétalo que se va a bordar. Evitar pintar la punta de la hoja para que la pintura no pase a la tela de fondo.

5 Pintar las otras dos hojas de la flor 1 y dejar que se sequen. Trabajar de igual manera las hojas de las flores 2 y 3.

Flores

6 Con cinta de 13 mm roja, doblar un extremo por la mitad a lo largo y enhebrarlo en una aguja grande (ver página 22). Empezando por la flor 1, anclar un extremo de la cinta en A (ver página 23). Hacer el primer pétalo (A-B) con un punto de cinta centrado, ligeramente levantado. Rematar y hacer los demás pétalos de la base (representados en la plantilla por líneas continuas rojas) por orden, alrededor del centro de la flor.

7 Cambiar a la cinta de 4 mm verde claro y salir con la aguja en A; hacer un punto de cinta centrado pasando la aguja hacia el revés justo por fuera del centro, para que quede una pequeña abertura en medio.

8 Hacer ahora los otros seis pétalos a punto de cinta centrado, levantando cada uno en el centro para situarlos por encima de los ya bordados. Con cinta de 2 mm verde, hacer los pequeños puntos de cinta centrados en medio de la flor.

9 Hacer las flores 2 y 3 igual que la flor 1, pero bordando el pétalo Z con un punto raso.

Pintar el centro de las flores

10 Mezclar una punta de pintura para seda amarillo primario y azul marino para obtener un verde. Sin diluirlo, pintar los extremos de los puntos verdes de cinta de 2 y 4 mm más próximos al centro de la flor y luego utilizar pintura rojo amapola para pintar los otros extremos, aplicando la pintura hasta la base de los pétalos. Dejar secar.

11 Con pintura para tela, hacer un poco de verde oscuro y dejarlo sin diluir. Con un pincel fino y seco, pintar una nervadura central de unos 1,5 cm de largo desde la base, por el centro de cada pétalo.

Estambres

12 Con dos hebras de hilo amarillo y una aguja del n.° 24, hacer 10 o 12 puntos de nudo de cuatro vueltas (no muy apretados) en el centro de cada flor y rematar (ver página 36). Con el ojo de la aguja, levantar los nudos por encima de la superficie de la tela para formar los estambres.

Tallos

13 Hacer el hilo para el tallo con dos hebras de musgo intenso, cuatro de musgo y una de verde manzana suave. Anudar un extremo y encerar el hilo para aplastarlo. Salir con el hilo en C, detrás de la flor 1, pasarlo hacia el revés en D, volver a salir en E y pinchar en F, pasándolo por detrás de las flores 1 y 3. Rematar y cortarlo. Coser por encima los tallos con hilo a tono. Hacer el tallo de la flor 2 con las mismas hebras.

Fuchsia

Tallo 1

Tallo 2

A

—— Punto de cinta invertido	– – – Punto raso	△ Ovario
—— Punto de cinta	- - - Tubo	⫽ Ángulo y posición de la segunda aguja

Plantilla a la mitad de su tamaño real; ampliarla al 200%.
Transferir el dibujo después de pintar el fondo. Primero
se transfieren los extremos de los tallos y las hojas.
Levantando la mitad de la plantilla cada vez, dibujar
suavemente las líneas de conexión, aparte de las tres hojitas
arriba del tallo 1. Volver a colocar la plantilla y marcar las
posiciones de los pétalos, sépalos y tubos y los extremos de
los capullos. Dibujar solamente las líneas de conexión de los
pétalos y los capullos.

Las fucsias cautivan a jardineros y floristas desde hace cientos
de años. También llamadas pendientes de la reina, en inglés
son conocidas como flores bailarinas: con sus sépalos como
bracitos y alas, sus falditas de pétalos delicadamente rizados
y sus largos estambres como piernecitas, parecen bailar bajo
la más leve brisa. Pueden ser diminutas o grandes y vistosas,
y son de colores intensos y espectaculares. Los distintos
nombres correspondientes a las variedades de fucsias permiten
bordar el regalo perfecto: Annabelle para una amiga de ese
nombre, o Love's Reward (recompensa del amor) para celebrar
una boda o un compromiso, por citar tan solo dos ejemplos.

Aquí he pintado primero un fondo de hojas y luego he
bordado los tallos y las hojas a punto de cinta y punto raso.
Los sépalos son puntos de cinta, y he utilizado dos métodos
diferentes de punto raso para los pétalos morados y los rosas.
Hay que tener cuidado al bordar un pétalo sobre una hoja;
deben levantarse los dos con la punta de una aguja para
colocarlos.

Plantilla para
el fondo: ampliarla
al 200%.

1 m de cinta de 13 mm verde claro
(n.° 31)

0,5 m de cinta de 7 mm verde claro
(n.° 31)

0,25 m de cinta de 4 mm verde claro
(n.° 31)

1 m de cinta de 7 mm morado (n.° 177)

1 m de cinta de 7 mm amapola suave
(n.° 48)

0,5 m de cinta de 4 mm amapola suave
(n.° 48)

1 m de cinta de 7 mm rosa (n.° 08)

1 m de cinta de 7 mm rosa pálido
(n.° 05)

0,33 m de cinta de 4 mm rosa pálido
(n.° 05)

0,5 m de cinta de 4 mm verde oscuro
(n.° 21)

0,25 m de cinta de 2 mm verde oscuro
(n.° 21)

Diagrama de la flor
básica.

32 x 32 cm de tela de lino/algodón; hilo de bordar
mouliné musgo intenso (n.° 268), verde claro (n.° 859),
arena (n.° 854), rosa fucsia (n.° 29), rosa (n.° 75) rosa
intenso (n.° 970), marrón (n.° 44) e hilo de coser
blanco a tono con la tela de fondo; pintura para seda
en rojo amapola, frambuesa, azul marino y amarillo
primario; pintura para tela en rojo cárdeno, azul
cobalto y amarillo botón de oro.

Pintar el fondo

Nota: utilizar siempre menos pintura en el pincel de la que se prevé necesitar: es más fácil añadir pintura que retirarla.

1 Transferir el dibujo para el fondo dibujando suavemente los tallos principales y el inicio de la nervadura central de las hojas. Mezclar pintura para tela azul cobalto y amarillo botón de oro para obtener un verde pálido, y añadirle un toque de rojo cárdeno para que quede ligeramente marrón. Diluir un poco la mezcla para que resulte más pálida. Con un pincel fino, limpio y seco, pintar suavemente el tallo de la izquierda desde la base hacia arriba, afinándolo hacia la punta.

2 Hacer un verde oscuro y, empezando por las hojas inferiores, pintar las líneas de las nervaduras desde el tallo hacia la punta de la hoja.

Nota: practicar antes en un retal de tela.

Diluir la pintura para que quede un poco más pálida y, con un pincel fuerte de punta cuadrada, pintar suavemente la superficie de las hojas. Empezar en la nervadura y dar pinceladas curvas, levantando el pincel en los bordes de las hojas para que queden más claras (ver página 19).

3 Añadir un toque de rojo a la mezcla y pintar muy suavemente algunos pequeños capullos arriba del tallo. Dejar secar.

4 Pintar los otros dos tallos de igual modo, añadiendo un poco más de rojo a la mezcla para pintar de marrón verdoso el tallo central.

Pintar las cintas

5 Mezclar pintura para seda amarillo primario y azul marino para obtener un verde, humedecer la cinta verde claro de 13 mm con agua limpia y pintarla a lo largo con un pincel ancho y fuerte (ver página 15). Pintar las cintas de color verde claro de 7 y de 4 mm de igual modo. Dejar secar las cintas y plancharlas.

Tallos y hojas

Nota: las hojas se bordan a punto de cinta, a punto de cinta invertido y a punto raso, según se indica en la plantilla.

6 Formar el hilo del tallo con dos hebras de musgo intenso, dos de verde y dos de arena y hacer un nudo en la punta. Salir con el hilo en la base del tallo 1 (A) y hacer un punto raso, pasando una hebra de musgo intenso y una de arena hacia el revés de la labor en B, una hebra de verde en C, una hebra de arena en D y las dos últimas hebras en E. Coser por encima el tallo en su sitio con hilo a tono y rematar todas las hebras.

7 Con la cinta de 4 mm verde teñida, hacer las tres hojitas a punto de cinta arriba del tallo 1. Rematar. Bordar de igual modo las hojas de 7 mm en D.

8 Hacer el resto de las hojas del tallo 1 con cinta de 13 mm verde teñida, rematando la cinta al terminar cada hoja.

9 Hacer de igual manera el tallo 2 (pasos 6 a 8).

Pintar las hojas

10 Mezclar pintura para tela amarillo botón de oro con rojo cárdeno y añadir un poco de pintura para seda azul marino con el fin de obtener un marrón rojizo. Dejarlo sin diluir. Empezando por la hoja más ancha en la base del tallo 1 y sujetando la cinta por debajo con una aguja, pintar con un pincel fino la nervadura central desde la base hacia la punta, y luego las nervaduras laterales. Dejar secar.

11 Mezclar pintura para seda azul marino y amarillo primario con un toque de rojo amapola para obtener un verde marrón. Empezando por arriba y trabajando las hojas una por una, humedecer las hojas con agua limpia y sombrear suavemente las zonas de sombra para dar mayor profundidad.

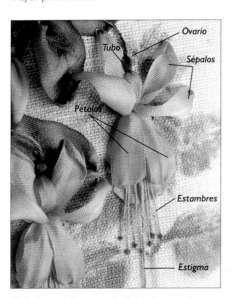

En la fotografía se han incluido los nombres de las distintas partes de la flor a los que se hace referencia en las instrucciones.

Completar el tallo 1
Flores

Nota: para cada flor, consultar el diagrama de la flor básica en la página 64 y seguir las instrucciones. Cuando pase más de un punto por un mismo lugar, evitar clavar la aguja en el mismo agujero: situar cada punto a un hilo de distancia del anterior.

12 Enhebrar una cinta de 7 mm morada, anclarla en A (ver diagrama) y hacer un punto raso hasta B, respetando el ángulo de la segunda aguja. Repetir para C-D y E-F y volver a salir con la aguja en A. Tender la cinta sobre B, situar el ojo de la segunda aguja sobre la cinta y doblarla sobre la aguja haciendo un punto raso, volviendo hasta la cinta en H, y hacer un punto de cinta a la izquierda invertido regresando a C. Hacer otro punto de cinta a la derecha invertido en E. Rematar.

13 Para los sépalos, utilizar cinta de 7 mm amapola suave. Anclar la cinta en C y hacer un punto de cinta invertido en X, dejando que la cinta forme la curva indicada en la plantilla. Hacer un punto de cinta centrado, de A a Y, y luego un punto de cinta centrado, de E a Z. Rematar.

14 Primero se hace el tubo, con un punto raso de arriba abajo, utilizando cinta de 4 mm amapola suave. El ovario se borda igual, con cinta de 4 mm verde oscuro.

15 Con dos hebras de hilo rosa fucsia, hacer un punto raso desde arriba y luego un punto de nudo de dos vueltas en la punta.

16 Hacer los estambres de igual manera, con una sola hebra de rosa fucsia y con un punto de nudo de dos vueltas en la base de cada uno. Los estambres se hacen partiendo de un mismo lugar en la base de la flor.

17 Para dar forma a la flor, enhebrar una sola hebra de rosa intenso en una aguja fina y hacer un nudo en un extremo. Salir con la aguja a la derecha de I, pasar el extremo del ojo de la aguja por las tres presillas y clavarla hacia el revés, justo a la izquierda de G. Tirar despacio de la hebra para colocar los pétalos y rematar.

Capullos

18 Con cinta de 7 mm amapola suave, bordar cada capullo con un solo punto raso desde la base para rellenar el pétalo (ver página 28), y luego con un punto de cinta centrado invertido por encima hasta la punta. Rematar. Bordar el tubo y el ovario como antes (ver paso 14).

Tallos de flores y de capullos

19 Hacer un hilo con una hebra de verde y una de marrón, encerarlo y bordar un punto raso en curva partiendo del tallo principal hasta cada flor y cada capullo (no coserlo por encima). Rematar.

Flor del tallo 1.

Completar el tallo 2
Flores

20 Para los pétalos, hacer puntos rasos con cinta de 7 mm rosa. Empezar por los dos pétalos más largos de la base y hacer luego los dos más cortos a través de ellos, de modo que se curven suavemente por encima de la parte de arriba para dar forma a la flor. Rematar.

21 Con cinta de 7 mm rosa pálido, bordar los sépalos haciendo a punto de cinta centrado los dos interiores más aplastados, y a punto de cinta centrado invertido los dos exteriores más flojos. Rematar.

Capullos

22 Bordar los capullos como antes (ver paso 18) con cinta de 7 mm rosa pálido. Los capullos pequeñitos de arriba del tallo se hacen con cinta de 4 mm rosa pálido, tensando bien el más pequeño de arriba. Bordar el tubo de estos capullos pequeños con cinta de 2 mm verde oscuro.

23 Antes de bordar el estigma y los estambres, pintar las flores y los capullos. Diluir un poco de pintura para seda frambuesa, humedecer la punta de los dos pétalos de debajo y pintarlos, con cuidado de que la pintura no llegue a la tela de fondo (ver páginas 14 y 17). Dejar secar y pintar luego las puntas de los dos pétalos de encima y el tubo. Dejar secar.

24 Pintar la base de los sépalos de igual modo, dejarlos secar y volver a humedecerlos y a pintar las puntas con una mezcla verde pálido diluida. Pintar los capullos de rosa por arriba y de verde pálido en las puntas.

25 El estigma y los estambres se bordan como antes (ver pasos 15 y 16), pero con hilo rosa. Hacer un pequeño punto de nudo de dos vueltas en blanco para el estigma y en rosa intenso para los estambres.

26 Para los tallos de las flores y los capullos, utilizar una hebra de musgo intenso y una de verde.

27 Para hacer un grupo de capullos arriba del tallo pintado, utilizar una hebra de musgo intenso y una de verde y coser tres puntos rasos, haciendo más largo el del centro.

Flores del tallo 2.

Estas fucsias son diferentes porque se han realizado con cintas de colores distintos; todas están bordadas según las instrucciones de las páginas 64-67.

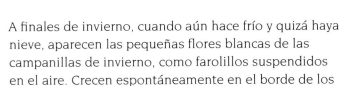

Galanthus ✿✿✿✿

A finales de invierno, cuando aún hace frío y quizá haya nieve, aparecen las pequeñas flores blancas de las campanillas de invierno, como farolillos suspendidos en el aire. Crecen espontáneamente en el borde de los caminos y en las riberas de los arroyos y también se extienden alfombrando el sotobosque.

Los pétalos de punto raso se bordan sobre un fondo ligeramente sombreado y se levantan sobre el ojo de una segunda aguja para darles forma en la punta. Las flores se trabajan por orden, primero las del fondo y luego las del primer término por encima de las otras.

——— Punto de cinta invertido

⟋ Ángulo y posición
de la segunda aguja

Plantilla a la mitad de su tamaño real; ampliarla al 200%. Transferir el dibujo después de pintar el fondo. Marcar los dos extremos de los pétalos (A-B, D-E y F-G en el diagrama), el cáliz y la base de cada tallo; dibujar luego con suavidad las líneas de conexión de los dos pétalos exteriores solamente.

2,66 m de cinta de 7 mm blanca (n.º 03)

0,33 m de cinta de 4 mm verde suave (n.º 33)

3 m de cinta de 4 mm verde claro (n.º 31)

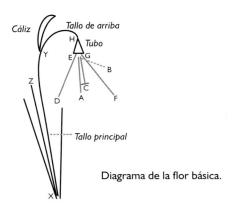

Diagrama de la flor básica.

Cáliz
Tallo de arriba
Tubo
Tallo principal

37 x 32 cm de tela de lino/algodón; 2 m de hilo de bordar mouliné blanco a tono con la tela de fondo; 1 m de hilo de bordar de algodón blanco; pintura para seda en azul marino y amarillo primario; pintura para tela en azul cobalto, amarillo botón de oro y rojo cárdeno.

Pintar la tela

1 Mezclar sobre un azulejo pintura para seda en azul marino y amarillo primario para obtener un verde muy pálido. Humedecer la tela y sombrear suavemente el tercio inferior (ver página 18). Antes de que la pintura se seque, dar unas pinceladas desde abajo hasta 1 cm de la parte de arriba. Dejar secar.

Nota: retirar el color que sobre presionando con papel de cocina o planchando entre dos paños de tela absorbente (ver página 15).

Pintar la cinta y los hilos

2 Cortar 50 cm de hilo de bordar mouliné blanco y reservar. Con el resto de hilo mouliné y con el hilo de bordar de algodón, hacer unas madejitas flojas.

3 Mezclar pintura para seda en azul marino y amarillo primario para obtener un tono azul verdoso y diluirlo ligeramente. Humedecer las dos madejitas con agua limpia y teñirlas para obtener un azul verdoso intermedio. Dejar secar.

4 Cortar 50 cm de la cinta de 4 mm verde claro y reservar. Humedecer el resto de la cinta verde claro y teñirla a manchas con la pintura azul verdoso restante para lograr un efecto sombreado (ver página 15). Dejar secar y plancharla.

5 Mezclar pintura para seda azul marino con pintura para tela amarillo botón de oro y un toque de rojo cárdeno para obtener un tono marrón verdoso amarillento.

Tomar los 50 cm de cinta reservados y, manteniendo la cinta tirante, pintar con un pincel fino unas finas líneas cortas a lo largo. Dejar secar y planchar.

Flores

Nota: para sugerir movimiento, las flores son un poco distintas. Para cada una, ver el diagrama de la flor básica a la izquierda y seguir las instrucciones de más abajo, guiándose por la fotografía del bordado para determinar el número y orden de los pétalos. Bordar las flores siguiendo el orden de numeración de la plantilla.

6 Anclar una cinta de 7 mm blanca en A de la flor 1. Hacer un punto raso en B, tensando la cinta sobre el ojo de una segunda aguja para que la punta del pétalo quede redondeada. Guiándose por la plantilla, salir con la aguja por la cinta en C y hacer un punto raso hasta justo arriba de B, levantando la cinta para que quede encima del primer pétalo. Hacer los pétalos D-E y F-G igual que A-B, situándolos encima de los anteriores. Rematar.

7 Con la cinta de 4 mm verde suave, hacer un pequeño punto raso de H a B, tensando la cinta sobre una segunda aguja en B. Rematar.

8 Completar las flores 2 y 3 de igual modo.

Tallos y cálices

9 Hacer un hilo para los tallos con cuatro hebras de hilo verde teñido. Enhebrarlo en una aguja de tamaño mediano, anudar un extremo y encerar el hilo a partir del nudo.

10 Salir con el hilo por la base del tallo de la flor 1 (X) y pasarlo hacia el revés en la base del cáliz (Y). Coser el hilo por encima dándole forma curva (ver página 40) y rematar. Repetir con las flores 2 y 3.

11 Utilizar la cinta de 4 mm teñida y rayada para el cáliz. Anudar un extremo, humedecerse dos dedos para doblar la cinta a lo largo partiendo de unos 0,75 cm a partir del nudo. Salir con la cinta en Y y dar un punto de cinta centrado y curvado envolviendo la parte de arriba del tallo. Rematar.

12 Hacer la parte superior del tallo con un punto raso de Y a H, con hilo de algodón de bordar verde teñido. Coserlo por encima formando una curva (ver página 40). Rematar.

Hojas

13 Cortar un trozo de cinta de 4 mm verde teñida a manchas. Enhebrarla en una aguja y salir con ella en X. Hacer un punto de cinta centrado hasta Z y rematar. Bordar las otras dos hojas guiándose por la fotografía para curvarlas y retorcerlas debidamente.

Completar las flores

14 Completar primero las flores 4 a 7 (incluidos tallos y hojas) y luego las demás (de la 8 a la 11).

Pintar pétalos y hojas

15 Mezclar un poco de pintura para tela azul cobalto y amarillo botón de oro para obtener un verde intenso. No añadir agua. Con un pincel fino y seco, pintar una V invertida en el pétalo corto en medio de cada flor. Si fuera necesario, retirar los pétalos de los lados con el ojo de una aguja. Dejar secar.

Nota: para que la pintura no manche la tela de fondo, humedecer solamente la cinta y sombrearla hasta 5 mm de donde toca la tela. Lo mismo se aplica a la cinta que quede por encima de un punto.

16 Hacer un azul verdoso, de intermedio a intenso, y dejarlo sin diluir. Empezando por las hojas del fondo, humedecer cada una de ellas con un pincel fino por turno y pintar uno de sus bordes para lograr un efecto sombreado.

17 Añadir un toque de rojo cárdeno a la pintura azul verdoso y diluir para obtener un tono gris muy pálido. Comprobar el color en un resto de cinta antes de aplicarlo sobre el bordado. Humedecer un pétalo y sombrear sutilmente el borde inferior justo por encima de la punta. Pintar todos los pétalos de igual modo.

Hydrangea

Flor 1

Flor 2

Plantilla a la mitad de su tamaño real; ampliarla al 200%. Transferir el dibujo antes de pintar el fondo. Marcar la posición de las hojas, la base de los tallos y los pétalos de cada flor. Dibujar suavemente las hojas y las líneas de conexión de los pétalos.

10 m de cinta de 7 mm rosa claro (n.° 05)

0,33 m de cinta de 13 mm verde claro (n.° 31)

33 x 35 cm de tela de lino/algodón; hilo de bordar mouliné musgo intenso (n.° 268), musgo (n.° 266), verde claro (n.° 859), azul porcelana (n.° 118) e hilo de coser blanco a tono con la tela de fondo; pintura para seda en magenta, azul marino y amarillo primario; pintura para tela en blanco.

Las pequeñas flores de cuatro pétalos de la hortensia se agrupan para formar estas espléndidas cabezas florales. Esta es una de las variedades de la hortensia; otras, como la de encaje, forman una masa tupida de flores diminutas en el centro rodeada por un aro de flores mayores también de cuatro pétalos. Son de gran impacto visual, no solo en el jardín sino como flores cortadas, frescas o secas, incluso a veces pintadas en composiciones florales.

Se ha teñido cinta de 7 mm rosa claro en dos tonos: un rosa lila y un azul lila un poco más intenso, para crear luces y sombras. Estos tonos se pueden variar para lograr los matices que se prefieran.

Pintar el fondo

1 Mezclar en un azulejo un poco de pintura para seda amarillo primario y azul marino para obtener un verde intermedio, y magenta y azul marino para conseguir un rosa malva. Diluir las dos mezclas con un poco de agua. Colocar la tela de fondo en un bastidor de bordar y humedecer la zona de una de las cabezas florales hasta el centro de las flores exteriores, dejando que el agua se extienda hacia fuera. Pintar con un poco de cada color al azar. Repetir para la otra cabeza floral y dejar secar.

Pintar la cinta

2 Cortar 6 m de cinta de 7 mm rosa claro. Mezclar pintura para seda magenta con un toque de azul marino y diluir con agua hasta obtener un rosa lila. Humedecer la cinta y teñirla a manchas (ver página 15). Dejar secar y plancharla.

3 Mezclar los mismos colores para obtener un azul lila más intenso y teñir de igual modo los otros 4 m de cinta de 7 mm rosa claro.

Flor 1

Tallo

4 Unir tres hebras de hilo musgo, tres de musgo intenso y una de verde claro. Enhebrarlas en una aguja de tamaño medio, anudar un extremo y bordar el tallo principal desde la flor hasta la base. Rematar por el revés del tallo. Coser por encima los tallos, curvándolos.

Hojas

5 Con cinta de 13 mm verde claro, bordar las hojas a cada lado de la cabeza floral, a punto de cinta centrado, y la media hoja del centro a punto raso.

Completar las hojas haciendo las dos de abajo a punto de cinta centrado.

Pintar las hojas

6 Mezclar pintura para seda azul marino y amarillo primario para obtener un verde claro y uno oscuro. Añadir un poco de verde claro a una gota de pintura para tela blanca y, con un pincel fino, dibujar las nervaduras. Dejar secar. Humedecer una hoja con agua limpia y pintar las nervaduras con el tono más claro, y la hoja en sí con el tono más oscuro. Pintar las demás hojas de igual forma. Dejar secar.

Cabeza floral

Nota: utilizar la cinta rosa teñida para todas las flores; guiarse por la fotografía para situar los distintos colores y formas de flor. Algunas flores, sobre todo las del exterior, son ovaladas y a veces constan de solamente dos o tres pétalos, incluso de uno solo, para lograr la forma general de la cabeza floral.

Bordar primero los pétalos del exterior. Evitar arrastrar la cinta por el revés de la flor.

7 Cada flor se borda con cuatro puntos rasos. Salir con la aguja en la punta del primer pétalo y bajar hasta el centro de la flor, controlando la cinta y dando forma al pétalo con el ojo de una segunda aguja. Bordar los otros tres pétalos de igual modo, cuidando de no atravesar la cinta por el revés. Rematar.

Nota: rematar cada flor antes de pasar a la siguiente. De no hacerlo así, la cinta se enrollaría y los pétalos quedarían deformados.

8 Cuando se hayan bordado las flores del exterior, seguir en espiral hacia el centro. Situar las flores variando

ligeramente su ángulo para no dejar huecos. Al
llegar hacia el centro, bordar algunos pétalos
solapando parcialmente otros para lograr un
efecto de cúpula en la cabeza floral. Solapar
parcialmente la parte de arriba del tallo y las
hojas.

9 Hacer un hilo para el tallo uniendo dos
hebras de musgo intenso, una de musgo y una
de verde claro. Bordar con un punto raso los
cuatro tallos pequeños arriba del tallo principal,
remetiéndolos por debajo y por entre las hojas
y los pétalos. Rematar.

10 Con una hebra de cada color, bordar al azar
unos cuantos tallitos pequeños a punto raso
entre las flores.

11 Para los centros de las flores, enhebrar una
sola hebra azul porcelana en una aguja fina y
anudar un extremo. Salir con la aguja por un
pétalo, a 2 mm del centro, y clavarla hacia el
revés en el centro. Dar una puntadita igual en
los otros tres pétalos, asegurándose de unirlas
en el centro formando una cruz. Bordar el resto
de los centros de las flores para completar la
cabeza floral.

Flor 2

12 Trabajar igual que la flor 1, pero añadiendo
la base del tallo que asoma por arriba de las
flores, cuando esté terminada la cabeza floral.

Acabado

13 Con el ojo de una aguja del n.º 18, levantar
todos los pétalos (ver página 41).

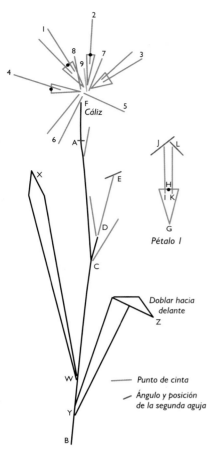

Plantilla a la mitad de su tamaño real; ampliarla al 200%. Marcar los seis pétalos (1-6), los puntos A, B y C del tallo principal y los dos extremos del capullo (D-E).

1 m de cinta de 13 mm blanca (n.° 03)

0,33 m de cinta de 7 mm blanca (n.° 03)

0,33 m de cinta de 4 mm blanca (n.° 03)

0,5 m de cinta de 13 mm verde claro (n.° 31)

0,5 m de cinta de 7 mm verde claro (n.° 31)

38 x 43 cm de tela de lino/algodón; hilo de bordar mouliné verde claro (n.° 859), verde manzana suave (n.° 264) e hilo de coser blanco a tono con la tela de fondo; pintura para seda en azul marino, rojo amapola y amarillo pálido; pintura para tela en blanco y amarillo botón de oro.

Iris

Estos espectaculares lirios de color intenso, con sus gruesos tallos, alcanzan desde 5 hasta 150 cm, o incluso más. Sus hojas de forma acintada permanecen pasada la floración y alguna de sus variedades puede verse adornando la mayoría de los jardines. Las flores pueden ser de uno o de varios colores, desde el blanco hasta el oscuro casi negro; desde el crema y el amarillo hasta el marrón cobrizo; desde azules, rosas y malvas hasta el morado violeta.

La flor básica se forma a partir de un triángulo de pétalos exteriores grandes con tres pétalos algo más pequeños entre medias, y todos se bordan con cinta de 13 mm.

Pétalo 1

1 Doblar un extremo de una cinta de 7 mm blanca por la mitad a lo largo y enhebrarla en una aguja, anclándola en la base del pétalo G (ver página 22). Controlando la cinta con el ojo de una segunda aguja, hacer un punto raso en H para formar el tallo del pétalo.

2 Pasar un extremo de una cinta de 13 mm blanca por el tallo del pétalo en I, anclarlo y hacer un punto raso hasta J (tener en cuenta la inclinación de la segunda aguja). Rematar. Anclar ahora la cinta en K y hacer un punto raso hasta L. Asegurarse de que los dos puntos queden uno junto a otro formando un solo pétalo.

Pétalo 2

3 Con cinta de 4 mm blanca, hacer el tallo a punto raso como en el paso 1. Rematar. Con cinta blanca de 13 mm, hacer el pétalo con un punto de cinta invertido hacia la derecha, utilizando un bastoncillo de algodón para mantener la cinta levantada y dar forma a la punta del pétalo.

Pétalos 3 a 6

4 Hacer el pétalo 3 igual que el 1; el pétalo 4 igual que el 2; el pétalo 5 igual que el 2, pero sin tallo; y el pétalo 6 igual que el 1, también sin tallo.

Pintar los pétalos 1 a 6

Nota: tener cuidado de no deformar los pétalos al pintarlos y después de pintarlos.

Para apartar los pétalos hacia un lado y tener las dos manos libres, colocar la zona de la flor sobre una plancha de espuma y clavar unos alfileres de cabeza de vidrio en la tela y en la plancha para mantener separados los pétalos que no se pintan de los que se pintan (ver página 17). Cuando los pétalos pintados se hayan secado, volver a colocar los alfileres y repetir la operación.

5 Empezando por el pétalo 2, utilizar pintura para tela blanca para dibujar una raya central desde la base del tallo del pétalo hasta 1 cm de la punta del pétalo. Dejar secar. Humedecer la cinta con agua limpia y pintar el pétalo con pintura para seda azul marino. Con un pincel limpio y húmedo, rozar el pétalo en su parte más ancha para retirar parte de la pintura y formar una zona clara. Dejar secar. Con pintura para tela amarillo botón de oro, pintar una fina raya por el centro de la línea blanca. Pintar los pétalos 4 y 5 de igual manera.

6 Pintar la línea blanca central del pétalo 1 (ver paso 5) y dejar secar. Humedecer el pétalo y utilizar pintura para seda azul marino para pintar el tallo del pétalo y el tercio exterior, dejando sin pintar la zona central. Retirar parte del color con un pincel limpio y húmedo (ver paso 5). Guiándose por la fotografía, utilizar pintura para tela amarillo botón de oro para pintar la zona amarilla en el centro del pétalo. Cuando se haya secado, mezclar una gota de pintura para tela blanca con una gota de pintura para seda azul marino y dibujar suavemente unas

finas nervaduras. Dejar secar. Pintar los pétalos 3 y 6 de igual modo.

Pétalos 7 y 9

7 Hacer el pétalo 7 partiendo de la base con cinta de 7 mm blanca, con un punto de cinta a la izquierda. Curvar el punto hacia dentro, hacia el centro de la flor, para situarlo a un lado de él. Rematar. Hacer el pétalo 8 con un punto de cinta a la derecha y curvarlo hacia dentro, hacia el pétalo 7. Rematar. Hacer el pétalo 9 con un punto de cinta centrado invertido, un poco más corto y redondeado que los pétalos 7 y 8. Rematar.

Pintar los pétalos 7 a 9

8 Pintar los pétalos 7 a 9 con pintura para seda azul marino y poner un brillo arriba de la curva del pétalo, utilizando un pincel húmedo.

Pintar la cinta para las hojas

9 Mezclar pintura para seda azul marino y amarillo botón de oro para obtener un verde entre intermedio e intenso. Humedecer la cinta de 7 mm verde claro y pintarla (ver página 16). Repetir con la cinta de 13 mm verde claro y pasar luego un pincel limpio y húmedo a lo largo del centro para aclararlo ligeramente. Dejar secar y planchar las dos cintas.

Tallo

10 Hacer un hilo para el tallo con cuatro hebras de verde manzana suave y ocho de verde claro y anudarlas en un extremo. Encerar el hilo desde el nudo hasta la otra punta para aplastarlo y enhebrarlo en una aguja del n.º 18. Salir con la aguja en A y clavarla en B, situando el ojo de una segunda aguja por debajo del hilo para tensarlo y que quede plano. Salir con la aguja en C y clavarla en D. Rematar. Con una hebra de color coordinado, sujetar el tallo principal en C.

Cáliz

11 Con cinta verde teñida de 7 mm, hacer un punto raso de A a F. Rematar.

Capullo

12 Anclar en D el extremo de una tira de 12 cm de cinta de 13 mm blanca. Anclar luego otra tira en el mismo agujero para colocarla encima. Situar la primera cinta de modo que el orillo derecho cubra solo E y poner un alfiler en ese punto. Enhebrar la segunda cinta en una aguja grande y hacer un punto de cinta centrado

invertido atravesando la primera cinta en E, retirando antes el alfiler y tirando con cuidado de la cinta para dar forma al capullo. Rematar. Enhebrar la primera cinta en una aguja grande y hacer un punto de cinta a la derecha en E, teniendo en cuenta la inclinación de la segunda aguja, de modo que se enrolle desde atrás y sobre el borde central del primer punto para dar forma al capullo. Rematar.

13 Pintar el capullo con pintura para seda azul marino, dejando en blanco la zona central del pétalo de la derecha. Sombrear el centro de la zona blanca con pintura para seda en amarillo pálido y luego, con un pincel limpio, humedecer la zona en curva azul para retirar parte del color.

Hojas

14 Con cinta de 7 mm verde teñida, salir en la base de la hoja de arriba (justo debajo del cáliz) e inclinarla para pasarla por encima del tallo. Dar un punto de cinta centrado en la punta para que la cinta envuelva el tallo. Repetir con las otras dos hojas de debajo del capullo.

15 Doblar por la mitad a lo largo un extremo de la cinta de 13 mm verde teñida y enhebrarla como en el paso 1. Anclarla en W y hacer un punto de cinta centrado invertido en X. Rematar. Con una hebra verde a tono y una aguja fina, dar una puntada muy pequeña para mantener el borde izquierdo de la cinta por encima de la base del tallo.

16 Para la hoja de la derecha, anclar la cinta en Y, doblar la cinta hacia delante (como se indica en la plantilla) y hacer un punto de cinta centrado en Z. Rematar. Volver a doblar la cinta y sujetar el borde derecho como en el paso 15.

Pintura

Nota: cuando se pinten tiras largas de cinta, colocar una cartulina blanca entre la cinta y la tela para evitar que la pintura cale a la tela.

17 Mezclar pintura para seda azul marino y amarillo botón de oro para obtener un verde intenso, humedecer la hoja larga de la izquierda y pintar una línea por los dos orillos. Pintar igual la hoja de la derecha, solo a lo largo del borde inferior.

18 Pintar los bordes de las hojas pequeñas como en el paso 17 y luego mezclar una gota de rojo amapola con el verde para obtener un verde marrón. Humedecer y sombrear la parte inferior de cada hoja. Dejar secar.

Jasminum

En un día gris de invierno, las flores en forma de estrella del jazmín de invierno que crece en la pared norte de mi casa son un espectáculo maravilloso. La planta no es propiamente una trepadora ni tampoco un arbusto leñoso, sino algo intermedio, cuajado de florecitas que crecen sobre largos tallos verdes, rectos y finos.

Los seis pétalos iguales se bordan a punto raso con cinta amarilla de 4 mm, después de hacer el tallo. Los capullos y los cálices se sombrean luego ligeramente y se añade un punto de color en el centro de cada flor.

Tallos

Nota: para anclar las hebras en la base del tallo, se hace un nudo a 10 cm de la punta. De este modo se puede rectificar la tensión del tallo si fuera necesario y coser la punta por detrás del tallo una vez terminado el bordado. Cortar el hilo sobrante.

1 Enhebrar seis hebras de hilo de bordar musgo intenso (no separar las hebras), salir con la aguja en la base del tallo 1 (A) y colocarlas a lo largo del tallo. Pasar dos hebras hacia el revés en B y coser por encima A-B con una hebra del mismo color. Pasar otras dos hebras hacia el revés en C, una hebra en D y la última hebra en E. Tensar el tallo, coserlo por encima en su sitio y rematar todas las hebras.

2 Los tallos laterales se bordan con cuatro hebras de hilo musgo intenso. Empezar en el tallo principal y reducirlo a dos hebras y luego a una sola en los puntos indicados en la plantilla (ver paso 1).

3 Volver a colocar la plantilla en su sitio, transferir el tallo 2 y repetir los pasos 1 y 2.

Tallo 1

Tallo 2

Tubo del cáliz

Plantilla a la mitad de su tamaño real; ampliarla al 200%. Empezar por marcar el tallo 1 con una serie de puntitos. Retirar la plantilla y bordar el tallo. Repetir con el tallo 2. Volver a colocar cada tallo. Dibujar suavemente los pétalos. Si se desea, se pueden transferir así también las demás flores y capullos, aunque igualmente se pueden bordar a ojo.

5 m de cinta de 4 mm amarilla (n.° 15)

2 m de cinta de 2 mm amarilla (n.° 15)

2 m de cinta de 2 mm caqui (n.° 56)

40 x 30 cm de tela de lino/algodón; hilo de bordar mouliné musgo intenso (n.° 268) e hilo blanco a tono con la tela de fondo; pintura para seda en azul marino, rojo amapola y amarillo primario.

Flores

Nota: bordar primero las flores que se dibujaron en primer lugar y luego hacer las otras a ojo o volviendo a colocar la plantilla para transferir los pétalos restantes.

4 Para las flores abiertas, enhebrar una tira de cinta de 4 mm amarilla en una aguja del n.º 18 y hacer un nudo en la punta. Salir con la aguja en la punta de un pétalo y, controlando y levantando la cinta con el ojo de una segunda aguja, hacer un punto raso hasta el centro de la flor. Salir con la aguja en la punta del pétalo contiguo y repetir para bordar los otros cinco pétalos. Rematar.

Nota: no pasar todos los pétalos por el mismo agujero del centro de la flor para que no se solapen y evitar atravesar cualquier cinta en el centro.

5 Bordar los cálices (que unen la flor al tallo) con cinta de 2 mm caqui y aguja del n.º 24. Bordarlos con un punto raso a partir del tallo. Rematar. Luego, con la cinta de 2 mm amarilla, hacer otro punto raso corto desde el cáliz hasta la base de la flor para bordar el tubo.

Nota: algunos cálices solo llevan un tubo en la punta, sin flor; otros llevan un capullo de punto raso.

6 Con una sola hebra de hilo musgo intenso, bordar las parejas de pequeños puntos rasos arriba de algunos tallos (ver plantilla). Con cinta de 2 mm caqui, bordar el trío de puntos de cinta pequeñitos arriba del tallo 1 y el tallo inferior de la izquierda.

Pintar las flores

7 Mezclar un poco de pintura para seda amarillo primario, azul marino y rojo amapola para obtener un rojo marrón y dejarlo sin diluir. Con un pincel fino seco y un poquito de pintura, dar un toque en la punta y en el centro de los pétalos.

8 Dar un tono un poco más rojo a la pintura y pintar primero un borde del cáliz; dibujar luego una fina raya por un lado del tubo para sombrearlo y completar así el bordado.

Kniphofia

No es difícil imaginar por qué en inglés esta planta recibe el nombre de hierro candente, con sus llamativas flores tubulares naranjas y rojas formando una densa espiga en lo alto de un grueso tallo. Las hojas ásperas forman grandes manojos que son, al mismo tiempo, la alegría y la pesadilla de los jardineros. Algunas variedades alcanzan hasta 1,80 m, aunque actualmente existen otras cultivadas que solo miden 50 cm y se presentan en distintos tonos, del blanco o el verde al amarillo y el rojo.

Para dar forma a la flor, los pétalos de punto raso se bordan sobre una base almohadillada con cinta de 4 mm amarilla. Luego se sombrean antes de bordar el resto de la flor con cinta de 4 mm naranja suave.

Zona almohadillada

Plantilla a la mitad de su tamaño real; ampliarla al 200%. Transferir el contorno de la zona almohadillada, los pétalos exteriores (1-10), el tallo y las hojas. Dibujar también con puntitos la forma de la zona almohadillada sobre la seda habutai.

4 m de cinta de 4 mm amarilla (n.º 15)

6 m de cinta de 4 mm naranja suave (n.º 16)

1 m de cinta de 7 mm verde claro (n.º 31)

28 x 38 cm de tela de lino/algodón; 10 x 14 cm de seda habutai; 10 x 3 cm de guata; hilo de bordar mouliné musgo intenso (n.º 268), verde claro (n.º 859), marrón suave (n.º 904) e hilo blanco a tono con la tela de fondo; pintura para seda en azul marino, rojo amapola y amarillo primario.

Pintar la seda habutai

1 Mezclar pintura para seda azul marino, amarillo primario y un toque de rojo amapola para obtener un verde marrón con el que pintar la figura de la zona almohadillada. Permitir que la pintura rebase el contorno de puntitos. Dejar secar y planchar.

Coser la seda habutai sobre la tela de fondo

2 Dejando 2 cm de margen alrededor de la figura, recortar la seda habutai para el almohadillado. Cortar también un trozo de guata de igual tamaño que la zona almohadillada.

3 Colocar la guata sobre la tela con la seda encima y sujetarlas en su sitio con dos o tres hilvanes flojos.

4 Con cuidado, ir remetiendo los bordes de la seda por debajo de la guata y prenderlos con alfileres. No comprimir demasiado el almohadillado. Coser la seda en su sitio a punto de dobladillo con un hilo a tono.

Nota: es más fácil remeter y coser de 2 a 3 cm cada vez.

Espiga floral

5 Enhebrar una tira de cinta de 4 mm amarilla en una aguja grande y hacer un nudo en la

punta. Siguiendo la plantilla, bordar el pétalo 1 con un punto raso desde la base hasta la punta. Salir con la aguja en la base del pétalo 2 y repetir. Bordar todos los pétalos por orden hasta el pétalo 9.

6 Trabajar ahora los pétalos 10 a 17 de igual manera, de modo que queden ligeramente por arriba de la fila anterior de pétalos.

7 Sujetar el pétalo 1 con el ojo de una aguja y utilizar un pincel fino para humedecerlo con agua limpia. Pintar desde la base hacia fuera con pintura para seda rojo amapola sin diluir, parando a 5 mm de la punta. Pintar los pétalos 2 a 9 del mismo modo. Dejar que se sequen y pintar luego los pétalos 10 a 17.

Nota: con un secador de pelo se acelera el secado y también evita que la pintura se extienda demasiado y/o cale en la tela de fondo.

8 Guiándose por la fotografía, utilizar la cinta de 4 mm amarilla para bordar unos pétalos en medio de la flor, justo arriba de la segunda fila, luego bordar una tercera fila de pétalos que monte ligeramente sobre la segunda. Pintar estos pétalos como antes y dejar que se sequen.

9 Con cinta de 4 mm naranja suave, bordar otras dos filas de pétalos y pintarlos como antes.

10 Cortar el resto de la cinta de 4 mm naranja suave en tiras con las que trabajar fácilmente (de 1 a 1,50 m) y pintarlas con pintura para seda rojo amapola. Dejar la pintura a manchas más que uniforme. Secar y planchar las tiras.

11 Con esta cinta teñida de rojo, bordar los pétalos restantes. Ir haciendo la base exterior con pétalos más pequeños y más apretados conforme se sube, y hacer las presillas

de los pétalos centrales cada vez más pequeñas.

Nota: tener en cuenta que el ángulo de los pétalos varía conforme se sube por la espiga floral: los de fuera irradian hacia el exterior en un ángulo más abierto, hasta quedar casi horizontales arriba. Bordar con cuidado y despacio todos los puntos.

Tallo

12 Para el hilo del tallo, juntar ocho hebras musgo intenso, cuatro verdes claros y dos marrón suave. Hacer un nudo en la punta. Humedecer bien un trozo de jabón y pasar sobre él el hilo desde el nudo hasta la otra punta. Enhebrarlo en una aguja grande. Salir con la aguja entre los pétalos, arriba del tallo, aplastar el hilo entre dos dedos y clavar la aguja hacia el revés en la base del tallo, tensando las hebras sobre el ojo de una segunda aguja para aplastar el final.

Hojas

13 Con la plancha a temperatura media, marcar un doblez a lo largo de la cinta de 7 mm verde claro. Mezclar pintura para seda amarillo primario y azul marino para obtener un verde, abrir la cinta, humedecerla y pintarla. Dejar secar. Hacer un verde más oscuro, humedecer la cinta con un pincel mojado en agua limpia y pintarla a lo largo de un orillo. Dejar secar y planchar la cinta abierta.

14 Con la cinta verde teñida, hacer un punto de cinta centrado de A a B y rematar. Hacer un punto de cinta centrado para C-D, doblando la cinta sobre el ojo de una segunda aguja para formar el doblez y tensar la cinta antes de terminar el punto en D. Rematar. Con un hilo a tono, dar una puntada pequeñita en el orillo por detrás del doblez para mantener la cinta tensa y que forme un ángulo recto sobre la tela. Rematar. Bordar la hoja E-F de igual manera para terminar el bordado.

Las distintas variedades de Kniphofia presentadas a la izquierda son algo más pequeñas y con los pétalos menos apretados.

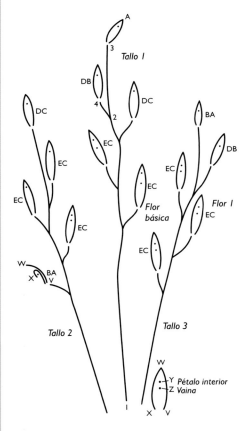

A
3
Tallo 1
DB
4
2
DC
DC
DC
BA
EC
EC
DB
EC
EC
EC
EC
EC
Flor 1
Flor básica
EC
EC
EC
W
BA
X
V
Tallo 2
Tallo 3
I
W
Y Pétalo interior
Z Vaina
X V

Plantilla a la mitad de su tamaño real; ampliarla al 200%. Marcar con un punto la parte de arriba y de debajo de las flores y la unión de los tallos laterales con uno de los tres tallos principales. Retirar la plantilla y dibujar suavemente la forma de las flores como figuran en esta.

Nota: la primera letra de cada par de letras de la plantilla indica el largo de cinta utilizado en los pétalos exteriores; la segunda letra señala el largo de cinta para los pétalos interiores.

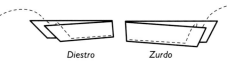

2,5 m de cinta de 13 mm blanca (n.° 03)

0,75 m de cinta de 7 mm blanca (n.° 03)

1 m de cinta de 2 mm musgo (n.° 20)

40 x 33 cm de tela de lino/algodón; hilo de bordar mouliné en verde hoja (n.° 216), verde claro (n.° 859), blanco (n.° 2), rosa pálido (n.° 73) e hilo blanco a tono con la tela de fondo; pintura para seda en azul marino, magenta y amarillo primario.

Lathyrus

Unas masas de grandes flores delicadas, en su mayoría perfumadas, en la más variada gama de colores imaginable y sobre tallos largos y finos, ¿qué más se podría pedir?

Estas flores, llamadas guisantes de olor por ser muy parecidas a las del guisante, se bordan con cinta blanca de 13 mm. El pétalo de detrás más grande se trabaja primero, y luego el pétalo interior, algo más pequeño, con un pétalo pequeñito en forma de vaina en el centro de las flores de mayor tamaño. Cuando la labor está terminada, cada vara se sombrea con un color.

Coser la cinta

Nota: cortar la cinta de 13 mm solo cuando se haya terminado de bordar cada pieza; es más fácil coser con una cinta larga.

Utilizar un hilo de color para fruncir la cinta y un hilo del color de la tela para coser la cinta sobre la tela; así se evitan errores al cortar los hilos.

1 Enhebrar una aguja fina con una hebra rosa pálido y hacer un nudo en la punta. Cortar al bies un extremo de la cinta de 13 mm blanca. Siguiendo las instrucciones de la página 32, anclar la hebra en el orillo de la cinta, a 1,5 cm de la punta. Hacer una bastilla menuda en diagonal y luego a lo largo del orillo en un tramo de 10 cm y de nuevo en diagonal.

2 No rematar ni cortar el hilo. Cortar la cinta a 1,5 cm de la costura en diagonal y, con un lápiz fino, marcar el código de más abajo (E) en la punta del principio. Coser otra tira haciendo una bastilla de 8 cm, marcar con la letra C en el extremo y prender los extremos del principio de las tiras para formar una pareja.

3 Seguir haciendo bastillas de frunce en más tiras de cinta blanca, variando el largo de la costura según se indica abajo. Marcar cada tira con la letra correspondiente.

3 tiras de 5,5 cm (A)
4 tiras de 6 cm (B)
10 tiras de 8 cm (C)
4 tiras de 9 cm (D)
8 tiras de 10 cm (E)

Doblar las tiras de cinta exactamente por la mitad a lo ancho y plancharlas para marcar el doblez (el sentido en que se haga depende de si se es diestro o zurdo).

Diestro   *Zurdo*

Flor 1

Nota: no coser nunca sobre la bastilla de fruncido. Cuando el pétalo esté cosido en su sitio, tirar de nuevo suavemente del hilo de frunce para "asentar" estos antes de rematar el hilo.

4 Empezar por bordar el pétalo exterior. Siguiendo las instrucciones de la página 32, tomar la cinta E cosida en el paso 1 y, con hilo blanco, coser en V el extremo con nudo de la cinta (ver diagrama junto a la plantilla). Salir con el hilo de anclaje en W y dar una puntada pequeñita sobre la línea de frunce en el doblez. Retirar el hilo hacia un lado. Pasar el otro extremo de la cinta por X, dejar el hilo de frunce por el derecho de la labor y coser la cinta como antes. Salir con el hilo de anclaje hacia el derecho en V. Tirar con cuidado del hilo de frunce para levantar la línea del pétalo, situando unos frunces más en la base del pétalo.

5 Con el hilo de anclaje, dar unos puntos clavados sobre la línea del pétalo para sujetar la cinta en su sitio. Rematar. Tirar despacio de la hebra de frunce para "asentar" los frunces y rematar esa hebra.

6 Anclar la cinta C del pétalo interior en el mismo lugar que la cinta E, pero situando en Y la línea de doblez, y tirar del hilo de frunce como antes (paso 4). Colocar ahora el pétalo cruzado sobre el centro hacia la izquierda y coserlo con puntadas clavadas por el borde exterior V-Y, luego situarlo hacia el otro lado para coser de Y a X. Rectificar los frunces y rematar como antes (paso 5).

Nota: cosiendo el borde exterior del pétalo interior se mantiene el pétalo derecho y levantado, tapando parcialmente el centro.

_7_ Para la vaina central, utilizar cinta de 7 mm blanca y anclar un extremo en V. Doblarla en Z y pasarla hacia el revés en X. Tensar la cinta en torno al ojo de una aguja en Z y rematar el borde inferior con una puntada pequeñita. Tensar la cinta para que la vaina quede levantada y rematar.

Las otras flores

Nota: las flores son de distinto tamaño y no todas llevan vaina en el centro.

_8_ Bordar el resto de las flores igual que la flor 1, variando el largo de la cinta utilizada para los pétalos exteriores e interiores. Inclinarlas como se ve en la fotografía. Seguir los pasos 9 y 10 de más abajo para bordar la flor de arriba del tallo 1 y la de abajo del tallo 2.

_9_ Para la flor de arriba del tallo 1, anclar una tira de cinta A en V, W y X y coser el lado derecho del pétalo como los pasos 4 y 5. Colocar ahora la flor hacia la derecha y anclar el borde exterior.

_10_ Para la flor de abajo del tallo 2, anclar una tira de cinta B en V y W, tirar del hilo de frunce y coser la cinta en su sitio de modo que la parte de arriba del pétalo, menos fruncida, se doble hacia atrás sobre sí misma, como se indica en la plantilla. Con una tira de cinta A, hacer el pétalo interior más pequeño, curvándolo hacia abajo. Hacer la vaina como antes (paso 7).

Tallos

_11_ Juntar tres hebras de hilo verde hoja y tres de hilo verde claro, hacer un nudo en la punta y enhebrarlas. Salir con la aguja en la base del tallo 1 y colocar las hebras en su sitio. Pasar únicamente tres hebras hacia el revés en 2 y rematarlas. Con las otras tres hebras hacer la parte alta del tallo (2-3) y rematar. Con una hebra a tono, coser el tallo por encima dándole forma. Hacer los tallos laterales de la misma manera, con solo tres hebras de cualquiera de los dos verdes para completar el tallo 1.

_12_ Bordar de igual modo los tallos 2 y 3.

Cálices

_13_ Con cinta de 2 mm musgo, hacer un punto raso pequeñito a cada lado del tallo, en la base de cada flor.

Pintar los pétalos

_14_ Mezclar pintura para seda magenta con un toque de amarillo primario para las flores del tallo 1 y diluir con agua para obtener el tono deseado. Ver en la página 17 el apartado Pintar pétalos de flor.

_15_ Empezar por la flor de más abajo del tallo 1. Con agua limpia y un pincel fino, humedecer el borde del pétalo exterior.

Mantener el pétalo separado de la tela y de las demás flores con el ojo de una aguja, tomar un poco de color y aplicar la pintura únicamente sobre el borde del pétalo. El color se irá extendiendo cada vez más difuminado hacia el centro de la flor. Para dar más color, volver a pintar por el borde. Dejar secar el pétalo y repetir con el pétalo interior, evitando pintar la vaina.

_16_ Pintar el resto de las flores del tallo 1. Diluir un poco la pintura y pintar las vainas interiores.

_17_ Pintar de igual modo las flores de los tallos 2 y 3 utilizando azul marino con un poco de magenta para el tallo 2 y magenta muy pálido para el tallo 3.

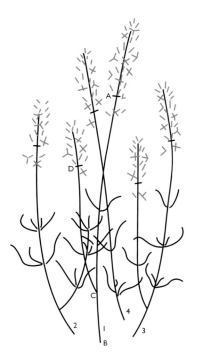

Plantilla a la mitad de su tamaño real; ampliarla al 200%. Marcar unos puntos a lo largo de las líneas de los tallos, solo como guía. Retirar la plantilla y bordar los tallos (pasos 1 y 2). Volver a colocar la plantilla en su sitio y transferir las dos espigas florales del tallo 1. Retirar parcialmente la plantilla y dibujar suavemente las líneas de los pétalos. Colocar de nuevo la plantilla y repetir con el resto de las espigas florales (se pueden dibujar únicamente unas flores de cada tallo y bordar las demás a ojo, guiándose por las fotografías y la plantilla).

1,5 m de cinta de 4 mm malva claro (n.º 178)

1,5 m de cinta de 4 mm malva intermedio (n.º 179)

1,5 m de cinta de 4 mm lila (n.º 83)

2 m de cinta de 2 mm crema (n.º 156)

28 x 33 cm de tela de lino/algodón; hilo de bordar mouliné verde claro (n.º 859) e hilo blanco a tono con la tela de fondo; pintura para seda en azul marino, magenta, rojo amapola y amarillo primario.

Lavandula

La lavanda, con sus flores de olor inconfundible, ha sido apreciada desde muy antiguo y continúa siendo muy popular. El aceite de lavanda, además de ser la base de muchos perfumes, posee numerosas cualidades medicinales. Las flores se cortan, se secan y se cuelgan en ramilletes para perfumar una habitación, o se deshacen las flores secas y se introducen en bolsitas decorativas dentro de los cajones y en los armarios para dar buen olor a la ropa de cama o a la ropa interior. Las espigas de flores muy prietas, del blanco al rosa y del azul lavanda al morado, se yerguen en lo alto de los tallos. Las hojas gris plata también son aromáticas.

Tallos

1 Enhebrar seis hebras de verde claro para el hilo del tallo y hacer un nudo en la punta. Salir con la aguja en A, arriba del tallo 1, clavarla en B, salir de nuevo en C y clavarla en D. Coser por encima los tallos en su sitio, uniendo el tallo principal en C con una sola hebra del mismo color. Rematar todas las hebras.

2 Bordar los tallos 2 y 3 igual que el tallo 1 y hacer el tallo 4 desde la base hasta arriba.

3 Con dos hebras de hilo verde claro, hacer un punto raso arriba de los tallos 1-3 para completarlos.

Pintar las cintas

4 Mezclar pintura para seda magenta y azul marino para obtener un malva intenso y diluirlo ligeramente. Arrugar con los dedos las dos cintas malva y la lila de 4 mm y mojarlas con la pintura, dejando unas zonas sin pintar. Añadir unas gotas de agua limpia a las zonas sin pintar. Dejar secar.

5 Mezclar pintura para seda amarillo primario y azul marino para obtener dos verdes, y añadir un toque de rojo amapola a uno de ellos. Diluir un poco las dos mezclas y teñir con ellas la cinta de 2 mm crema, igual que en el paso 4. Dejar secar y planchar todas las cintas.

Flores y capullos

Nota: las tres primeras cintas coloreadas se utilizan para crear claros y oscuros en los que los tonos oscuros sugieren sombras y los más pálidos zonas iluminadas. Guiarse por las fotografías para situar los colores.

6 Enhebrar una cinta en una aguja y hacer un nudo en la punta. Empezar en la base de una flor y bordar cada pétalo con un punto raso desde la punta hasta el centro de la flor. Los capullos son puntos rasos sueltos que se dan desde la punta hasta la base. Bordar primero las flores de abajo y los capullos, luego rematar y bordar la sección siguiente de arriba. Completar todas las flores y capullos.

Hojas

7 Enhebrar una tira de cinta de 2 mm verde teñida en una aguja del n.º 24 y hacer un nudo en la punta. Empezando por el par de hojas largas arriba del tallo 1, salir con la aguja por la base de una hoja, retorcer una vez la cinta y clavar la aguja en la punta. No tensar mucho la cinta: la hoja debe quedar retorcida y en curva. Repetir con la segunda hoja larga y rematar.

8 Bordar el siguiente par de hojas largas en el mismo tallo y rematar.

9 Bordar el resto de las hojas de igual forma, empezando por las de detrás del bordado y siguiendo hacia delante. Cuando se vean, bordar primero las hojitas interiores. Dejar algunas hojas por detrás de los tallos.

Esta lavanda azul es una variedad más compacta y se borda con puntadas un poco más pequeñas.

El cantueso es otra variedad de lavanda que se identifica fácilmente por su penacho de brácteas.

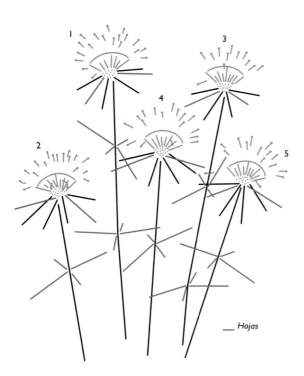

Monarda

Esta bonita planta, muy aromática y rica en néctar, posee un gran atractivo para las abejas desde principios del verano hasta el otoño, y sus flores llamativas y vistosas son muy apreciadas para bordes de macizos. También llamada bergamota silvestre, posee tallos largos y fuertes y sus flores son una masa de pétalos tubulares, normalmente de color rojo. Es una hierba aromática y sus hojas secas se utilizan en tisanas.

Los pétalos se bordan a punto raso retorcido con cinta de 4 mm y se deja que se doblen solos, haciendo los de delante más flojos para que la flor adquiera forma redondeada. En las brácteas de debajo se utiliza un tono más oscuro de cinta de 7 mm.

___ Hojas

Plantilla a la mitad de su tamaño real; ampliarla al 200%. Transferir la posición de los tallos, de las hojas, pétalos y brácteas. Retirar la plantilla y dibujar suavemente solo los abanicos, no las líneas de las hojas o de los pétalos.

1,5 m de cinta de 7 mm rojo ceniza (n.° 114)

2 m de cinta de 7 mm musgo (n.° 20)

0,67 m de cinta de 4 mm musgo (n.° 20)

5 m de cinta de 4 mm rosa fuerte (n.° 25)

1,5 m de cinta de 2 mm rojo oscuro (n.° 50)

30 x 33 cm de tela de lino/algodón; hilo de bordar mouliné musgo intenso (n.° 268), musgo (n.° 266), verde claro (n.° 859), rojo intenso (n.° 13), marrón (n.° 44) e hilo blanco a tono con la tela de fondo; pintura para seda en azul marino, rojo amapola y amarillo primario; pintura para tela en blanco.

Flor 1

Cabeza floral

Nota: los pasos 1 a 3 se ilustran en la página siguiente, abajo.

1 Unir una hebra de hilo verde claro con una de rojo intenso y otra de marrón, hacer un nudo en la punta y enhebrarlas. Bordar un abanico de puntos rasos largos y cortos en la base de la flor 1.

2 Enhebrar una tira de cinta de 2 mm rojo oscuro en una aguja del n.° 24, hacer un nudo en la punta y bordar puntos rasos largos y cortos, algunos retorcidos, por encima y entremedias de las puntadas del paso 1, dejando el borde de arriba desigual. Rematar.

3 Con dos hebras de hilo marrón y una de rojo intenso, hacer puntos de nudo de dos vueltas (ver página 36) para rellenar la forma de V en la base del abanico.

Nota: cada pétalo se borda con un punto raso, retorciendo la cinta dos o tres veces hacia la izquierda o hacia la derecha para que quede suelto y ligeramente levantado. Curvar cada pétalo con distinta inclinación y hacer primero los pétalos del fondo más largos, ayudándose del ojo de una segunda aguja para colocar cada puntada.

Pétalos

Brácteas

Hojas

Paso 1

Paso 2

Paso 3

4 Enhebrar una cinta de 4 mm rosa fuerte y hacer un nudo en la punta. Salir con la aguja en la base del pétalo central por detrás de la flor, retorcer la cinta dos o tres veces y clavar la aguja hacia el revés en la punta (ver página 28). Guiándose por la fotografía, hacer los pétalos de los lados para completar la fila de detrás.

5 Bordar la segunda fila indicada en la plantilla, luego la fila siguiente hacia delante y por último los pétalos del primer término, curvándolos con distinta inclinación. Rematar.

6 Con cinta de 7 mm musgo, bordar las dos hojas a punto de cinta centrado, desde la base de la flor hacia la punta. Rematar.

7 Para las brácteas, utilizar cinta de 7 mm rojo ceniza; estas brácteas son una mezcla de puntos de cinta centrados a la izquierda y a la derecha, que pasan por encima de las hojas y remeten por la base de la flor, inclinados en distintas direcciones. Ver la fotografía de la página anterior.

Tallo

Nota: para bordar el tallo desde la base, hacer un nudo en el hilo a unos 3-4 cm de la punta para dejar un cabo. Cuando el bordado esté terminado, se rectifica la tensión del tallo y, con una hebra a tono, se sujeta 1 cm del cabo por detrás del tallo y por el revés de la labor, para que el nudo y los cabos no se vean por el derecho.

8 Formar el hilo para el tallo juntando dos hebras musgo y seis musgo intenso, enhebrarlas y hacer un nudo a unos 3-4 cm de la punta. Pasar un jabón húmedo desde el nudo hasta donde se calcule que llega el tallo. Salir con la aguja en la base del tallo y hacer un punto raso hasta arriba. Tensar el tallo y rematar.

Hojas

9 Con la cinta de 7 mm musgo, bordar los dos pares de hojas grandes a punto de cinta. Rematar después de bordar cada hoja. Con cinta de 4 mm musgo, bordar los dos pares de hojas más pequeñas. Rematar. Dar una pequeña puntada con hilo verde claro sobre el tallo, entre cada par de hojas grandes, para colocar el tallo.

Pintar las hojas

10 Con pintura para tela blanca y un pincel fino, pintar una fina nervadura central y sugerir unas nervaduras laterales en cada hoja grande. Dejar secar y pintar sobre esas rayas con pintura para seda rojo amapola. Dejar secar.

11 Poner un poco de pintura para seda rojo amapola sobre un azulejo y añadir una gota de agua para diluirla ligeramente. Humedecer con agua limpia una de las dos hojas pegadas a la cabeza floral y aplicar un poco de pintura en la base de la hoja. Dejar que la pintura se difumine hacia la punta, de modo que queden sombreados en rojo dos tercios de la hoja,

dejando la punta verde. Pintar de igual manera la otra hoja y dejar secar.

Pintar la cabeza floral

12 Con pintura para tela blanca y un pincel fino, pintar una fina nervadura central de unos dos tercios del largo de cada bráctea, partiendo desde la base.

13 Mezclar un poco de pintura para seda azul marino y amarillo primario para obtener un verde y añadir un toque de rojo para que quede un tono marrón rojizo. Humedecer cada una de las cuatro brácteas que forman el cáliz y pintar un tercio de cada una partiendo de la base. Dejar secar.

14 Para los pétalos de cinta de 4 mm rosa fuerte, hacer una versión más roja de la mezcla marrón rojizo. Humedecer los pétalos desde la base y pintar el tercio inferior de cada uno. Dejar secar.

Para terminar

15 Completar el bordado por este orden: bordar las flores 2 y 3, pintando solamente las hojas; bordar luego las flores 4 y 5, pintando solamente las hojas. Terminar pintando los pétalos y las brácteas de cada flor.

Estas flores características, algo irregulares, parecen cobrar vida si se bordan con cinta de seda y en sus colores naturales.

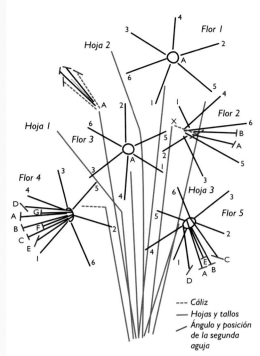

--- Cáliz
— Hojas y tallos
∕ Ángulo y posición de la segunda aguja

Plantilla a la mitad de su tamaño real; ampliarla al 200%. Marcar los extremos de los pétalos de las flores 1 y 2 y el capullo. Retirar parcialmente la plantilla y dibujar suavemente las líneas de los pétalos. Volver a colocar la plantilla y transferir las flores 3, 4 y 5 marcando solo con puntos la posición de las trompetillas. Volver a poner la plantilla para marcar la posición de las hojas.

2 m de cinta de 13 mm amarillo pálido (n.º 13)

0,1 m de cinta de 7 mm amarillo pálido (n.º 13)

0,33 m de cinta de 13 mm amarilla (n.º 15)

1 m de cinta de 7 mm amarilla (n.º 15)

0,67 m de cinta de 13 mm crema (n.º 156)

2,33 m de cinta de 7 mm crema (n.º 156)

0,33 m de cinta de 7 mm trigo (n.º 35)

Narcissus

A diez minutos de mi casa hay una zona de bosque que todas las primaveras se cubre con un tapiz de narcisos. El sol que se filtra por entre los árboles aún sin hojas ilumina toda el área. Es perfecto. Los narcisos son las flores más apreciadas y más conocidas de todos los bulbos de primavera. Existen muchas variedades, todas bonitas y excelentes como flores cortadas, por lo que se encuentran entre las preferidas de jardineros y floristas. Las flores, que van de diminutas a grandes, se presentan aisladas o en ramilletes sobre tallos fuertes y rectos. Existe una amplia gama de tonalidades, desde el melocotón más claro hasta el naranja intenso, pero en su mayoría son amarillas y blancas, con las trompetillas del mismo color.

Los pétalos de estas flores se bordan a punto de cinta con cinta de 13 mm y las trompetillas con cinta de 7 mm o con cinta de 13 mm fruncida. Luego se pintan ligeramente las flores para completar el bordado.

Pintar la cinta

∕ Para las hojas, cortar una tira de 1 m de cinta de 7 mm crema. Mezclar pintura para seda amarillo botón de oro, azul marino y una gota de rojo amapola para obtener un verde musgo y diluirla un poco. Humedecer la cinta con agua limpia y aplicar la pintura a manchas, sin dejar espacios sin pintar. Secar y planchar (ver página 15).

Flor 1

33 x 33 cm de tela de lino/algodón; hilo de bordar mouliné en amarillo (n.º 305) e hilo blanco a tono con la tela de fondo; pintura para seda en azul marino, rojo amapola y amarillo botón de oro.

2 Mezclar pintura para seda amarillo botón de oro y azul marino para obtener un azul verdoso, humedecer de nuevo con agua limpia una tira de 1 m de cinta teñida de verde y pintarla a lo largo de un borde. Dejar secar y planchar.

3 Para el tallo, diluir la misma mezcla un poco más y pintar a lo largo de los 1,33 m restantes de la cinta crema de 7 mm. Secar y planchar.

Flor 1

Nota: para anclar la cinta de 13 mm por el revés, hacer una costura atravesando la cinta para que quede aplastada y ancha por el derecho.

4 Cortar una tira de 33 cm de cinta de 13 mm amarillo pálido y bordar primero el pétalo 1. Anclar la cinta en la base del pétalo y hacer un punto de cinta centrado en la punta. Rematar y cortar la cinta. Hacer los pétalos

2 y 3 rematando y cortando la cinta después de bordar cada uno. Hacer ahora los pétalos 4 y 5 situándolos justo arriba de los anteriores. Anclar la cinta como para empezar el pétalo 6, pero dejarlo sin completar hasta el paso 15, después de bordar la hoja de detrás. Prender el extremo de la cinta y retirarla hacia un lado para no bordar sobre ella.

Nota: en la página 32 se encuentran instrucciones detalladas sobre corte, cosido y fruncido de la cinta (pasos 4, 5 y 6).

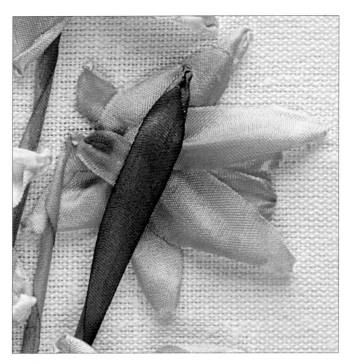

Flor 2

cuidado, retorcer la cinta para formar un tallo liso en forma de tubo (como una pajita de plástico). Pasar el extremo hacia el revés por la base del tallo y sujetarlo con un hilo. Cortar dos tiras de 17 cm de la misma cinta para hacer de igual modo los tallos de la flor 2 y del capullo.

Hojas

14 Con cinta de 7 mm teñida de verde para las hojas, anclar el extremo en la base de la hoja 1, retorcer una vez la cinta y dejarla que se curve, y hacer un punto de cinta centrado en la punta. Dar ahora una puntadita sobre el orillo de detrás arriba del doblez para mantener la hoja en su sitio. Rematar. Bordar las hojas 2 y 3 doblándolas en la dirección indicada en la plantilla.

15 Completar el pétalo 6 de la flor 1, pasando la aguja por la hoja 2.

Flor 3

16 Bordarla igual que la flor 1, con cinta de 13 mm crema para los pétalos y el volante, con cuidado al trabajar por encima de los tallos y las hojas. Levantar los pétalos ligeramente para que sobresalgan de la tela de fondo y de las hojas. Utilizar un hilo a tono para curvar con suavidad el tallo de la flor 1 por detrás de los pétalos de la flor 3.

Flor 4

17 Con cinta de 13 mm amarillo pálido, bordar los pétalos 1 a 6 por orden, a punto de cinta centrado.

18 Para la trompetilla, utilizar cinta de 7 mm amarilla y bordar los tres pétalos del fondo A, B y C con puntos rasos, teniendo en cuenta el ángulo de la segunda aguja. Hacer luego el pétalo D a punto de cinta a la derecha, después E a punto de cinta a la izquierda. Terminar con dos puntos de cinta centrados para G y F, tensando la cinta sobre la aguja (como se indica en la página 29) y dejando que se forme un rollito en el volante. Los estambres son puntos de pistilo con dos vueltas, bordados con una hebra de hilo amarillo (ver página 36). Hacer el cáliz como el de la flor 2.

Flor 5

19 Bordar igual que la flor 4. Para la trompetilla, hacer puntos rasos para A y B, punto de cinta a la derecha para D, punto de cinta a la izquierda para C y punto de cinta centrado para E, igual que G y F del paso 18. (Esta flor no tiene estambres).

Tallos (flores 3 a 5)

20 Cortar tres tiras de 12 cm de cinta teñida de verde para el tallo y bordar los tallos de las flores 3 a 5, como se describe en el paso 13.

5 Para el volante, utilizar cinta de 13 mm amarilla y una hebra de hilo a tono con un nudo en la punta. Cortar un extremo de la cinta al bies y, empezando a 1,5 cm del corte, hacer una bastilla pequeña paralela al corte y luego seguir por un borde a lo largo de la cinta hasta 5 cm del final. Volver por el otro borde de la cinta haciendo la misma costura al bies. Cortar el 1,5 cm sobrante a partir de la costura. No rematar ni cortar el hilo.

6 Pasar el extremo de la cinta por la tela en A y anclarlo. Tirar suavemente del hilo de frunce para curvar ligeramente la cinta en torno al centro de la flor y anclar luego el otro extremo a 0,5 cm del lugar de salida de la cinta para solaparla. Poner el dedo índice apoyado en el centro, fruncir la cinta para cerrar el círculo y coser en su sitio clavando la aguja.

7 Para los estambres, utilizar una sola hebra amarilla y una aguja del n.° 24. Hacer seis estambres como se indica en la página 39.

Flor 2

8 Empezar por bordar los dos pétalos A y B que forman la trompetilla. Para cada uno, anclar una tira de cinta de 7 mm amarilla en la base y hacer un punto raso hasta la punta. Rematar.

9 Los seis pétalos son puntos de cinta centrados invertidos. Bordarlos por orden, del 1 al 6. Utilizar cinta de 7 mm amarillo pálido para el pétalo 1 y de 13 mm amarillo pálido para los pétalos 2 a 6.

10 Para el cáliz, utilizar cinta de 7 mm trigo y hacer un punto raso desde arriba del tallo hasta la flor (tener en cuenta el ángulo de la segunda aguja).

Capullo

11 Con cinta de 7 mm crema, hacer un punto raso corto para almohadillar el capullo (ver página 28). Hacer ahora los dos pétalos a punto raso, desde la base hasta el extremo. Tener en cuenta el ángulo de la segunda aguja.

12 Para el cáliz, utilizar una tira de cinta verde teñida para el tallo y dar dos puntos rasos envolviendo los pétalos.

Tallos (flores 1 y 2 y capullo)

13 Cortar 20 cm de cinta de 7 mm teñida de verde y anclarla arriba del tallo de la flor 1. Con

Flor 3

Flor 4

Flor 5

Utilizando cinta más estrecha, de 7 mm, y ampliando la plantilla un 50%, se obtienen estos pequeños narcisos que se bordan igual que los de las páginas anteriores. Para trabajar las variedades enanas, utilizar la plantilla sin ampliar.

Pintar las flores

Nota: empezando por los pétalos del fondo, se pintan primero los alternos, se dejan secar y luego se pintan los de entremedias. El secador es aquí de gran utilidad.

21 Primero se pinta la flor 3. Diluir un poco de pintura para seda amarillo botón de oro para obtener un amarillo pálido, humedecer la base del volante con agua y aplicar suavemente algo de color a la base, dejando que se extienda y se difumine hacia arriba de la trompetilla. Humedecer la base de cada pétalo y aplicar un poco de color a cada una.

22 Para el resto de las flores, mezclar un poco de amarillo botón de oro y azul marino para obtener un amarillo verdoso muy pálido. Humedecer un pétalo cada vez, aplicar un toque de color en la base y dejar que se vaya fundiendo hacia la punta. Humedecer y pintar la base de las trompetillas y el volante de la flor 1. Mantener los estambres levantados sujetándolos con pinzas y pintar la punta de amarillo intenso.

Orquídea

Mística, romántica, escultural, esplendorosa... son algunos de los calificativos que vienen a la mente para describir a la orquídea. Cada una de las variedades posee una forma distintiva y marcada, con flores que parecen de cera y se abren mes tras mes. Si a esto se añaden sus tonos luminosos y sus extraordinarias combinaciones de color, estas flores son de las más espectaculares que existen.

Esta orquídea en particular, que acaba de abrirse, es una planta joven que me han regalado. Los pétalos se bordan sobre todo con puntos rasos y unos cuantos puntos de cinta invertidos, utilizando cinta blanca de 13 mm. Los tres pétalos más pequeños, el capullo 1 y los dos pétalos de detrás del capullo 2 se bordan y se pintan primero, y a continuación el resto de la flor y de los capullos. Con el ojo de una segunda aguja se da forma a cada uno de los pétalos conforme se van bordando. Hay que dedicar tiempo a cada puntada y practicar antes las finas líneas de nervadura sobre un resto de cinta.

Capullo 3
Capullo 5
Capullo 6
Capullo 1
Capullo 4
Capullo 2

— Flor

/ Ángulo y posición de la segunda aguja

Hoja 1
Hoja 2
Hoja 3

Plantilla a la mitad de su tamaño real; ampliarla al 200%. Transferir las posiciones de los pétalos, capullos, hojas y base del tallo. Dibujar las líneas de conexión solamente de la flor a medio abrir y de los capullos.

1,33 m de cinta de 13 mm blanca (n.° 03)

0,67 m de cinta de 7 mm blanca (n.° 03)

0,25 m de cinta de 4 mm blanca (n.° 03)

0,67 m de cinta de 13 mm musgo (n.° 20)

28 x 34 cm de tela de lino/algodón; hilo de bordar mouliné musgo intenso (n.° 268), verde claro (n.° 859), marrón suave (n.° 904) e hilo blanco a tono con la tela de fondo; pintura para seda en magenta, azul marino y amarillo primario; pintura para tela en rojo cárdeno y amarillo botón de oro.

Preparar el fondo

1 Con un pincel duro, aplicar un poco de gutapercha en un área de unos 0,5 cm² sobre los puntos que indican los extremos de todos los pétalos y hojas, que es por donde va a pasar la cinta a través de la tela. Dejar secar.

Flor

Nota: hay que levantar, dar forma y colocar cada uno de los puntos conforme se hace y rematarlo antes de pasar al punto siguiente. Tener en cuenta el ángulo de la segunda aguja.

2 Para la flor, cortar una tira de 25 cm de la cinta de 13 mm blanca y anclarla en A. Hacer un punto raso en B, tensando la cinta sobre el ojo de una aguja grande para dar forma al pétalo. Justo antes de completar el punto, tirar suavemente de la cinta sobre la punta del ojo de la aguja en B para formar un pico. Rematar y luego bordar C-D y E-F.

Capullos 1 y 2

3 Para cada uno de los pétalos utilizar la misma cinta y hacer un punto raso para W-X. Rematar y hacer luego Y-Z.

Pintar los pétalos

Nota: aquí conviene utilizar un secador; el aire caliente detiene inmediatamente la pintura evitando que se extienda.

4 Con un pincel de punta fina, mezclar algo de pintura para seda magenta con un toque de azul marino para obtener un morado rosa. Limpiar y secar el pincel y luego, con un poco de pintura en la punta, dibujar una fina nervadura por el centro del pétalo A-B, desde la base hasta casi el extremo. Añadir unas cuantas nervaduras a cada lado curvándolas. Pintar los demás pétalos de la flor y dejar secar.

5 Mezclar más pintura del mismo tono y diluirla para que quede un poco más clara. Humedecer el pétalo X del capullo 1 con agua limpia y aplicar luego pintura en el centro del pétalo dejando que se extienda hacia la punta, la base y los lados. Añadir un poco más de pintura a la base y dejar secar. Pintar el segundo pétalo y el capullo 2 y luego diluir la mezcla para que quede un poco más pálida y pintar los tres pétalos de la flor de igual modo.

Tallo

6 Juntar un hilo para el tallo con ocho hebras de musgo intenso y dos de marrón suave, enhebrarlo y hacer un nudo a 1 cm de la punta. Humedecer un trozo de jabón con agua limpia y pasarlo a lo largo del hilo desde el nudo. Salir con la aguja en la base del tallo y, pasando las hebras entre dos dedos, colocarlas en su sitio y pasar hacia el revés en 1. No rematar.

7 Hacer otro hilo con cuatro hebras de musgo intenso y salir con ellas en 2. Aplicar jabón como antes y tirar del hilo entre dos dedos para aplastarlo. Pasar el hilo sobre el tallo formando un ángulo y clavarlo al otro lado para coser por encima el tallo en su sitio, hacer luego otro punto junto al anterior para completar la "unión". Repetir en los puntos 3 y 4 y rematar este hilo y el del tallo.

8 Del hilo del tallo, retirar una hebra musgo intenso y una marrón. Enhebrar las hebras restantes y hacer un nudo en la punta. Salir con la aguja hacia el derecho en 5, retirar la aguja y colocar las hebras en su sitio hasta 6. Enhebrar en la aguja una hebra musgo y una marrón, pasarlas hacia el revés en 6 y en ese mismo lugar dar una pequeña puntada sobre el tallo para fijarlo. Rematar. Repetir esta operación en 7 y 8, utilizando cada vez dos hebras pasadas hacia el revés para fijar el tallo. Rematar las dos últimas hebras en 9. Con tres hebras de hilo verde claro (enjabonadas), bordar los tallos 10, 11 y 12. Rematar. No fijar por encima los tallos en su sitio.

Completar el capullo 2

9 Anclar una tira de cinta de 13 mm blanca en U y hacer un punto de cinta centrado invertido en V, cuidando de situar este pétalo encima de los primeros. Rematar.

Completar la flor

10 Anclar una tira de cinta de 13 mm blanca en G y hacer un punto raso en H, levantando la cinta con una segunda aguja y curvando el borde exterior. Mantener recto el borde que vaya a quedar en el centro del pétalo. Rematar. Anclar la cinta en I, repetir para I-J utilizando la segunda aguja para alinear la cinta con G-H y curvar el borde exterior como

antes para formar un solo pétalo. Rematar. Hacer de igual modo los puntos rasos K-L y M-N.

11 Anclar la cinta en O y, levantándola con una segunda aguja, hacer un punto de cinta centrado en P. Rematar.

12 Enhebrar la cinta de 4 mm blanca, hacer un nudo en la punta y salir con la aguja en O. Utilizando una segunda aguja para controlar la cinta, hacer un punto raso en Q, con la misma altura que O-P. Salir de nuevo con la aguja hacia el derecho justo arriba de Q y hacer un punto de nudo flojo de dos vueltas. Rematar.

13 Anclar la cinta de 7 mm blanca justo a la izquierda de O. Colocarla de modo que el orillo coincida con la línea curva marcada en la plantilla a la izquierda de O-Q. Hacer un punto de cinta a la derecha curvado, con el orillo tocando también la tela. Rematar. Hacer un punto de cinta a la izquierda de igual manera, justo a la derecha de O-Q.

Capullos 3 a 6

14 Con cinta de 7 mm blanca, bordar a punto raso los pétalos exteriores del capullo 3, rematando la cinta después de cada uno. Hacer un punto de cinta invertido para el pétalo central y rematar. Bordar los dos pétalos del capullo 4 a punto raso, solapándolos, y de nuevo rematando después de bordar cada uno.

15 Los capullos 5 y 6 son puntos rasos sueltos; poner una segunda aguja en la base para tensar la cinta sobre ella y alargar las puntas. Rematar cada capullo después de bordarlo.

Hojas

16 Cada hoja se hace con dos puntadas. Con cinta de 13 mm musgo, anclar un extremo en la base de la hoja 1 (A) y dar un punto raso en B. Rematar. Anclar la cinta en C y hacer un punto de cinta a la izquierda en D. Para las hojas 2 y 3, hacer un punto raso para A-B y un punto de cinta a la derecha en C-D para la hoja 2, y un punto de cinta a la izquierda en C-D para la hoja 3.

Completar la pintura

Nota: al pintar es importante mantener la forma y posición de los pétalos y las hojas. Sin embargo, si hace falta, se puede volver a humedecer un pétalo y ponerle debajo un poco de guata para levantarlo y mantener su forma mientras se seca la cinta (ver página 41).

17 Pintar las nervaduras de los pétalos del capullo 2 siguiendo las instrucciones del paso 4. Dejar secar. Diluir la pintura para que quede un poco más pálida, humedecer los pétalos G-H e I-J y aplicar la pintura en el centro de cada uno para que el color se extienda y difumine hacia los bordes y hacia arriba. Pintar de igual manera los pétalos K-L y M-N y dejar secar. Humedecer la base del punto de nudo y tocar solamente la base con pintura, dejando blanca la parte de arriba. Dejar secar.

18 Mezclar un poco de pintura en tono más oscuro para intensificar el color junto a la base de los dos pétalos grandes de flor (guiarse por la fotografía). Dejar secar. Humedecer el pétalo R-S y pintar el borde inferior junto a la tela para que la pintura se extienda hacia el borde superior. Pintar de igual modo el pétalo T-U del otro lado. Pintar el pétalo de arriba del capullo 2.

19 Diluir la pintura para que quede más pálida, humedecer los capullos 3 y 4 y dar color solamente a la punta de cada uno. Dejar secar.

20 Con pintura para tela amarillo botón de oro y un pincel fino, pintar el punto de 4 mm O-Q en el centro de la flor. Dejar secar y luego mezclar una gota de pintura para seda azul marino con pintura para tela rojo cárdeno y así obtener un rojo marrón, y con un pincel limpio y seco pintar unos puntitos sobre el amarillo. Dejar secar.

21 Mezclar pintura para seda amarillo primario y azul marino para obtener un verde intenso, humedecer una de las hojas a 0,5 cm de cada extremo y pintar a lo largo de los dos bordes exteriores, dejando que el color se extienda y difumine hacia el centro. Pintar de igual forma las otras hojas.

22 Diluir un poco la pintura verde, humedecer el capullo 3 y pintar desde el tallo dejando una punta rosa pálido. Repetir con el capullo 4 y pintar los capullos 5 y 6 solo de verde para terminar.

Estas tres orquídeas se han bordado con las mismas técnicas básicas, pero con ligeras variaciones. El centro de la orquídea verde y el de la orquídea rosa claro se han bordado con cinta de 13 mm, pero cada pétalo de la variedad rosa es un solo punto raso de 13 mm, mientras que los pétalos de la flor verde se han bordado con dos puntos rasos. La orquídea roja de abajo tiene el mismo tipo de pétalos que la flor rosa, pero en el centro más ancho se han bordado dos puntos con cinta de 13 mm.

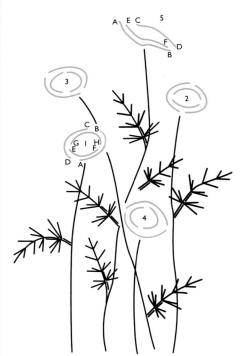

Papaver

Estas delicadas flores, con sus pétalos que parecen de tela fina, son una variedad cultivada de la amapola de los campos. Crecen silvestres en muchas partes del mundo. Sus colores van del blanco al rojo pasando por el amarillo y el naranja, y en masa, mecidas por el viento, son todo un espectáculo. Las variedades cultivadas, casi perennes, son atractivas en todos sus estadios. Los gruesos capullos se desarrollan para abrirse en flores magníficas a las que siguen las cápsulas de semillas, que se suelen secar por su valor decorativo.

Se cosen tiras de cinta fruncidas para dar forma a los pétalos y que las flores parezcan inclinarse o mirar en distintas direcciones. Cuando el bordado está terminado, se humedecen los bordes de los pétalos y se pintan en tonos delicados de rojo y rosa.

Plantilla a la mitad de su tamaño real; ampliarla al 200%. Transferir la posición de los pétalos, de las hojas y de la base de los tallos. Dibujar suavemente las líneas curvas marcadas en la plantilla para los pétalos y la línea central de las hojas.

1,75 m de cinta de 13 mm blanca (n.° 03)

3 m de cinta de 2 mm verde claro (n.° 31)

28 a 34 cm de tela de lino/algodón; 20 x 20 cm de seda habutai; 10 x 10 cm de entretela fuerte; hilo de bordar mouliné rosa pálido (n.° 73), amarillo pálido (n.° 292), amarillo (n.° 305), verde manzana suave (n.° 264), verde claro (n.° 859), hilo blanco a tono con la tela de fondo e hilo gris; pintura para seda en rojo amapola, magenta, azul marino y amarillo primario; pintura para tela en azul cobalto, amarillo botón de oro y blanco; 75 cm de cordel de cocina; trocito de guata.

Coser la cinta

Nota: no cortar la cinta de 13 mm blanca hasta haber hecho la bastilla de frunce.

1 Enhebrar una aguja fina con una hebra de hilo rosa pálido y hacer un nudo en la punta. Cortar al bies un extremo de la cinta de 13 mm blanca. Empezando a 1,5 cm del corte, seguir los pasos 1 a 4 de la página 32, haciendo una bastilla de 6 cm de largo. No rematar ni cortar el hilo; cortar la cinta al bies, a 1,5 cm de la costura.

2 Hacer una bastilla de 6 cm en otras siete cintas, de 5 cm en cuatro cintas más y de 4 cm en siete cintas. Con un lápiz fino, indicar el largo de cada cinta en el extremo del principio.

Flores

Nota: tener cuidado de no coser sobre la bastilla de frunce al bordar los pétalos.

3 Consultando las páginas 32-33, anclar con hilo blanco el extremo anudado de una cinta de 6 cm en A para la flor 1, fruncir suavemente la cinta y pasar el otro extremo por B. Rematar este extremo por el revés con hilo blanco y salir con el hilo en A hacia el derecho.

4 Tirar del hilo de frunce rosa para que la cinta se ajuste a la línea A-B, y con el hilo blanco dar unas puntadas pequeñitas por encima de la línea

de frunce para sujetar el pétalo. Rematar. Tirar con cuidado del hilo de frunce para asentar el pétalo y rematarlo. Hacer ahora C-D con una cinta de 6 cm de bastilla, E-F con una cinta de 5 cm de bastilla y G-H con una cinta de 4 cm de bastilla.

5 Hacer la flor 2 de la misma forma. Para las flores 3 y 4 utilizar cintas de 4 cm de bastilla para E-F y G-H.

6 Para la flor 5, emplear cintas de 5 cm para A-B y C-D y de 4 cm para E-F. Coser la cinta a la tela por el borde inferior para que quede levantada sobre la tela.

Plantillas para el centro de las flores 1 a 4; ampliar al 200%. (Utilizar las cuatro plantillas pequeñas para la entretela y la plantilla grande de la derecha para la seda).

Pintar los pétalos

Nota: probar cada tonalidad de color sobre un resto de cinta antes de pintar los pétalos.

Para pintar las flores, mezclar primero el color y luego, manteniendo la cinta separada de la tela (ver página 17), humedecer un pétalo con agua limpia. Con un pincel limpio de punta fina aplicar pintura solamente por el orillo, dejando que el color se extienda y difumine hacia el centro. Repetir este paso para dar más color al pétalo y dejarlo secar. Después se podrá añadir más color si fuera necesario.

7 Empezando por la flor 3, mezclar un poco de pintura para seda magenta con agua para obtener un tono muy pálido. Humedecer un pétalo con agua limpia y pintar una raya por el borde. Dejar secar. Pintar el resto de los pétalos.

Nota: con un secador se acelera el secado y se evita que el color se extienda demasiado.

8 Pintar el resto de las flores de igual modo. Para la flor 5 utilizar una versión más pálida de la misma mezcla, y para la flor 1 añadir al magenta un poco de rojo amapola para obtener un tono más fuerte y pintarlo dos veces. La flor 2 se pinta tres veces con una mezcla de rojo amapola y magenta un poco diluida. Para la flor 4 se utiliza la misma mezcla añadiendo un toque de azul y se pinta cuatro veces.

Centro de las flores

Los centros se trabajan siguiendo los pasos indicados más abajo para la flor 1. Obsérvese que los centros varían un poco de tamaño.

9 Poner la seda en un bastidor, mezclar pintura para seda azul marino y amarillo primario con el fin de obtener un verde claro y pintar la seda. Secar y planchar.

10 Para cada flor, utilizar las plantillas para cortar un disco de seda verde y un disco de entretela y de guata.

Nota: para los centros de las amapolas, ver las instrucciones de la página 40.

11 Enhebrar una aguja fina con una hebra de 50 cm de hilo verde manzana suave y hacer un nudo a 2 cm de la punta. Hacer un

dobladillo fino por el borde de la seda para la flor 1, cosiéndolo con una bastilla pequeña. No cortar esta hebra.

12 Enhebrar otra aguja con una hebra de hilo verde manzana suave y hacer un nudo en la punta. Poner la seda boca abajo sobre una plancha de espuma, con el dobladillo hacia arriba, y colocar encima el disco de entretela de la flor 1 y luego la guata, centrándolos. Pasar la aguja hacia abajo por el centro de las tres capas y salir con ella junto al

mismo sitio, pero no por el mismo agujero. Retirar la aguja pero no cortar la hebra.

13 Con cuidado, tirar de las puntas de la hebra de frunce alrededor del dobladillo de la seda para que esta cubra por igual la entretela y la guata, sin arrugas. Anudar las puntas bien fuerte y cortar los cabos.

14 Pasar la primera hebra por la seda justo por debajo del borde del disco. Hacer unas puntadas de bastilla alrededor, por debajo del

borde del disco. Tirar de la hebra con cuidado, colocando la tela por debajo del disco para que el borde quede liso. Rematar la hebra pero no cortarla.

15 Salir con la hebra por el centro del disco y rematarla por el revés pero sin cortarla. Dar otra puntada cruzada a 90° de la primera, luego dar una puntada pequeña sobre el punto en que se cruzan para fijar los hilos en su sitio. Dar otras dos puntadas para dividir la superficie en ocho segmentos. Rematar bien la hebra.

16 Con hilo del mismo color, salir por las tres capas en el centro del disco y hacer un punto de nudo de dos vueltas. Salir con la aguja en el borde del disco, por debajo de una de las puntadas que cruzan el centro. Pasar la aguja por debajo de la puntada siguiente, de manera que el hilo de trabajo quede justo en el borde del disco. Pasar la aguja por encima y por debajo del punto pillando un poco de la seda para sujetar la hebra y hacer el borde del siguiente segmento de igual modo. Repetir todo alrededor del disco, sujetar la hebra y volver a pasarla por el centro de la base para rematarla en el centro de una flor en el paso 15.

17 Situar el disco en el centro de la flor 1 y sujetarlo con la hebra juntándolo a la tela por el borde de detrás (consultar la fotografía). De este modo, la flor adquiere relieve.

18 Hacer los estambres como se describe en la página 37, utilizando una hebra de hilo amarillo y otra de amarillo pálido.

Tallos

19 Hacer una mezcla azul verdosa con pintura para tela azul cobalto y amarillo botón de oro y añadir un poco de blanco para que quede más pálida y apagada. Extender un trozo de cordel sobre un papel y pintarlo bien. Dejar secar.

20 Guiándose por la plantilla y con hilo verde claro, coser por encima un extremo del cordel en su sitio, debajo de la flor 3. Cortar el cordel en la base y repetir para las flores 1 y 4. Coser por encima la base de los tallos para sujetarlos, rematando y cortando la hebra cada vez.

21 Hacer el tallo de la flor 5 de igual modo, pero cortando el cordel donde pasa por debajo de la flor 4 (como se ve en la plantilla) para que el tallo quede plano. Hacer el tallo de la flor 2.

Hojas

Bordar cada hoja siguiendo lo indicado en el paso 23 y en el diagrama de abajo. Obsérvese

que algunas hojas quedan debajo de un tallo y otras encima de él.

22 Hacer un azul verdoso con pintura para seda amarillo primario y azul marino, humedecer la cinta de 2 mm verde claro y teñirla a manchas (ver página 15). Secar y planchar.

23 Cortar una tira de 45 cm de cinta verde claro teñida, enhebrarla en una aguja del n.º 24 y hacer un nudo en la punta. Salir con la aguja en A, clavarla en B y volver a salir en C para clavarla de nuevo en D, dejando la puntada floja. Salir con la aguja otra vez en B y tensar la cinta para completar un punto de hoja C-D-E. Salir con la aguja en E y seguir hasta X en la base de la hoja. Ahora volver hacia arriba desde X, haciendo puntos rasos entre los puntos de hoja, guiándose por la plantilla. Rematar.

Para terminar

24 Levantar los pétalos como se indica en la fotografía para dar forma a cada flor. Conviene utilizar un secador: humedecer los pétalos con agua limpia y aplicar aire caliente sobre la cinta colocándola en su sitio.

La amapola roja es una flor llamativa que se reconoce con facilidad. Para bordar esta amapola he agrandado el centro de la flor al 175%. Se han utilizado dos hebras de hilo negro para cubrir la base de seda verde como antes, luego se ha entretejido el hilo por entre los radios del centro para formar un centro negro y denso.

Se ha fruncido una tira extra de cinta roja y se ha colocado sobre y por debajo del pétalo inferior. Se han bordado dos hojas a punto raso con cinta verde y se ha cosido el capullo de modo que quede tocando la tela por detrás y levantado por delante. Para el tallo se ha utilizado cordel de jardín verde.

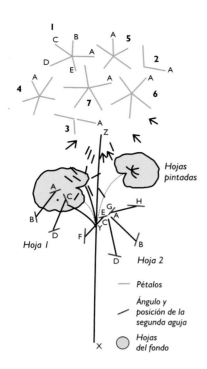

Pelargonium

Estas bonitas flores, conocidas comúnmente por su nombre de geranios, se cultivan en macetas, bordes de arriates y grandes arriates en pueblos y ciudades de todo el mundo. Son muy apreciadas por sus grandes cabezas florales, formadas por flores pequeñas, que ponen grandes manchas de colores vibrantes sobresaliendo de un follaje interesante y aromático. Los colores de los geranios pueden ser llamativos y fuertes o pálidos y delicados, matizados con un centro más intenso o muy pálido, como el que he elegido aquí. Las hojas suelen presentar dos tonos, a menudo con toques rojos.

Las hojas del fondo están pintadas sobre la tela, para aportar profundidad al bordado. Los pétalos de las flores están trabajados a punto raso con cinta de 13 mm que he pintado posteriormente.

Hojas pintadas

Hoja I

Hoja 2

— Pétalos

╱ Ángulo y posición de la segunda aguja

● Hojas del fondo

Plantilla a la mitad de su tamaño real; ampliarla al 200%. Transferir los puntos X, Y y Z del tallo y de los dos extremos de pétalos y hojas. Dibujar con puntitos el contorno de las hojas del fondo. Retirar la plantilla y dibujar suavemente las líneas de conexión de los pétalos, capullos y hojas (pero no de las hojas del fondo).

1,75 m de cinta de 13 mm rosa (n.° 05)

0,5 m de cinta de 4 mm rosa (n.° 05)

I m de cinta de 13 mm verde (n.° 31)

0,5 m de cinta de 4 mm verde (n.° 31)

0,75 m de cinta de 2 mm verde (n.° 31)

28 x 33 cm de tela de lino/algodón; hilo de bordar mouliné musgo (n.° 266), verde manzana suave (n.° 264), arena (n.° 854) e hilo blanco a tono con la tela de fondo; pintura para seda en magenta, rojo amapola, azul marino y amarillo primario; pintura para tela en amarillo primario y blanco.

Pintar el fondo

╱ Mezclar pintura para tela amarillo primario con un toque de azul marino para obtener un verde musgo. Con un pincel fuerte, seco y limpio, tomar un poquito de pintura y pintar las hojas desde el borde exterior hacia el centro, cubriendo justo los puntitos marcados a lápiz. Diluir una gota de rojo amapola para que quede muy claro y, guiándose por la fotografía, aplicar un poco de pintura con un pincel fino en cada sección de las hojas, a unos 5 mm del borde exterior. Oscurecer un poco la mezcla de verde y pintar las nervaduras y los tallos. Dejar secar.

Pintar las cintas para las hojas y el hilo

2 Mezclar pintura para seda amarillo primario y azul marino para obtener dos tonos de verde, y añadir un toque de rojo amapola para conseguir un tono más marrón. Humedecer las cintas verdes de 2, 4 y 13 mm con agua y teñirlas a manchas (ver página 15). Dejarlas secar y plancharlas.

3 Humedecer y teñir de igual modo el hilo verde manzana suave.

Flores

Nota: utilizando tiras de 20 cm de cinta, bordar las flores por orden de número. Los pétalos 1 y 3 quedan por detrás en la fotografía y son casi planos, lo mismo que el pétalo A de las demás flores. Todos los otros pétalos quedan en hueco.

4 Clavar una aguja grande en la tela, en el centro de la flor 1, para marcar un agujero. Con una aguja del n.º 13, pasar un extremo de una cinta de 13 mm rosa hacia el revés de la labor en la punta del pétalo A. Mover la cinta hacia delante y hacia atrás por la tela hasta que los bordes de la cinta se doblen hacia abajo cuando estén en su sitio. Anclar la cinta (ver página 23) y retirar la aguja y el hilo hacia un lado para utilizarlos más adelante.

5 Por el derecho de la labor, volver a enhebrar la cinta en una aguja del n.º 13 y dar un punto raso en el centro de la flor, pasando la cinta por el mismo agujero y tensándola sobre el ojo de una segunda aguja grande colocada en la punta del pétalo (ver página 27). Salir con la aguja en la punta del pétalo B, hacer otros cuatro pétalos y rematar.

6 Bordar las flores 2 a 5 de igual modo.

Tallo

7 Formar un hilo para tallos con cinco hebras musgo, tres hebras verdes teñidas y tres arena. Enhebrarlo y hacer un nudo en un extremo. Humedecer un trozo de jabón y pasar el hilo sobre él desde el nudo. Salir con el hilo en X. Tensarlo sobre una segunda aguja para aplastarlo hasta Y y con una sola hebra de hilo teñido fijarlo en Y. No aplastar el resto del

tallo para que quede más fino y sujetarlo con unas puntadas en Z.

8 Con tres hebras enjabonadas, hacer un tallo en curva para cada flor y capullo. Utilizando una segunda aguja, pasar los tallos por detrás de los pétalos donde corresponda.

Pintar la flor 1 y la cinta para los capullos

Nota: con un secador se acelera el secado y se evita que los colores se extiendan a otros pétalos o a la tela de fondo.

9 Hacer dos mezclas de pintura para seda magenta con un poco de rojo amapola y apenas un toque de azul marino y diluir cada una para obtener una mezcla ligeramente pálida y otra muy pálida. Probar los colores en un resto de cinta.

10 Poner un trozo de espuma detrás de la flor 1 y utilizar alfileres con cabeza de vidrio para retirar los pétalos que no se vayan a pintar (ver página 17). Con un pincel limpio, humedecer cada pétalo con agua y aplicar luego el tono más pálido en una línea curva a 5 mm de la punta hasta la parte más ancha del pétalo A. La pintura se extenderá fundiéndose hacia el centro del pétalo. Antes de que se seque, pintar una fina raya siguiendo la misma curva con el tono más intenso para sombrear más el pétalo. Pintar los demás pétalos y dejar secar. Pintar luego el resto de las flores.

11 Teñir la cinta de 4 mm rosa a manchas con la pintura que quede del paso 10 (el tono más intenso de las dos mezclas). Secar y planchar.

12 Mezclar un poco de pintura para seda rojo amapola, azul marino y amarillo primario para obtener un tono verde marrón y, sin diluirlo, aplicar un punto en el centro de cada flor.

Capullos

13 Con la cinta de 4 mm rosa teñida, hacer pequeños puntos rasos desde la base hasta la punta de cada capullo. Rematar después de cada pétalo.

14 Con la cinta de 2 mm verde teñida, hacer un punto raso pequeño a cada lado de los

capullos para bordar el cáliz, y tres puntos rasos para las dos medias flores (flores 2 y 3). Ahora, con cinta de 4 mm verde teñida, hacer todos los capullitos verdes.

Hojas

15 Con cinta de 13 mm verde teñida, hacer los puntos rasos A-B, luego C-D de la hoja 1, teniendo en cuenta el ángulo de la segunda aguja. Rematar después de cada punto. Con una sola hebra de hilo teñido, dar una puntada pequeña en los dos bordes de W para tirar de las cintas hacia abajo y dar forma a la hoja.

16 Con pintura para tela blanca y un pincel fino, pintar unas finas

nervaduras partiendo del centro hacia el borde, desde W.

17 Hacer la hoja 2 siguiendo el orden indicado en la plantilla. Humedecer las hojas 1 y 2, diluir un poco de pintura para seda en rojo amapola y pintar unas pequeñas zonas rojas en cada parte de cada hoja a 5 mm del borde (como en la fotografía).

18 Juntar un hilo para tallo con dos hebras de arena y dos de verde manzana suave, enjabonar el hilo, hacer un tallo de Y a W por debajo de la hoja 1 y repetir para la hoja 2. Utilizar una hebra de cada color para hacer un tallo en curva para cada capullo.

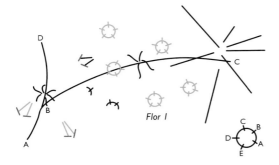

Flor 1

Plantilla a la mitad de su tamaño real; ampliarla al 200%. Dibujar unos puntos a lo largo de la rama, en cada extremo de las hojas principales y alrededor de los círculos del centro de las flores. Retirar la plantilla y dibujar suavemente la rama y el centro de las flores (incluidas las cinco líneas cortas de intersección). Para las hojas, dibujar una corta línea a partir del extremo del tallo más próximo (para indicar la dirección del bordado).

2 m de cinta de 13 mm blanca (n.º 03)

0,5 m de cinta de 7 mm blanca (n.º 03)

0,5 m de cinta de 13 mm musgo (n.º 20)

0,33 m de cinta de 7 mm musgo (n.º 20)

0,33 m de cinta de 4 mm musgo (n.º 20)

33 x 33 cm de tela de lino/algodón; hilo de bordar mouliné en rosa pálido (n.º 73), amarillo pálido (n.º 292), marrón (n.º 393) e hilo blanco a tono con la tela de fondo; pintura para seda en magenta, frambuesa, azul marino y amarillo primario; pintura para tela en amarillo primario, blanco y rojo amapola; 50 cm de cordel de jardinería sin teñir.

Prunus

El ciruelo de Japón florece en primavera y le gusta la exposición a pleno sol: una explosión de flores rosa claro ante un cielo azul señalan el final del invierno y son una visión mágica. Un método igual al que aquí se describe se puede utilizar para bordar flores de ciruelo, almendro y melocotonero. Los colores de estas flores varían del blanco al casi rojo pasando por el rosa, y las flores pueden ser sencillas o dobles y estar dispuestas de modo algo distinto en las ramas o tallos, pero las alteraciones a introducir son mínimas.

Para la rama se utiliza cordel de jardinería, que se hace girar para quitarle parte del retorcido y que quede más tosco y rugoso; la cinta se matiza antes de bordar con ella. Unos estambres erguidos de punta naranja completan las flores, y las hojas con tintes rojos añaden color y profundidad al bordado.

Pintar la cinta

Nota: el color de la pintura se hace más intenso al fruncir la cinta.

1 Para las flores, mezclar un poco de pintura para seda frambuesa con magenta y diluirla para obtener un tono muy pálido. Probar el color en un resto de cinta. Sujetar por un extremo la cinta de 13 mm blanca (ver página 15) y, con un pincel fuerte, humedecer toda la tira. Con un pincel mediano pintar la cinta a lo largo de un borde solamente (no importa que la línea quede desigual). Colgar la cinta para que se seque.

2 Hacer el tono un poco más intenso y pintar la cinta de 7 mm blanca a manchas separadas (ver página 15). Secar y planchar las dos cintas.

3 Teñir las cintas para las hojas utilizando pintura para seda magenta diluida. Humedecer las tres cintas musgo y teñirlas a manchas, dejando muchas zonas sin pintar. Colgar las cintas para que se sequen y plancharlas.

Rama principal

Nota: utilizar jabón para dar forma permanente a la rama.

4 Cortar el cordel por la mitad y quitar el retorcido de las dos mitades para separar las hebras. Reunir las hebras sin retorcerlas y humedecerlas. Estirar la cuerda con los dedos para darle nueva forma, enjugar el agua sobrante con papel de cocina y pasar el jabón a lo largo de la cuerda varias veces. Colocar la cuerda sobre A-C, cortar los extremos en diagonal y coserla en su sitio con unas puntadas hechas con el hilo gris. Tomar

solamente cuatro hebras del cordel, darles jabón y colocarlas en B-D para el tallo. Cortar los extremos en diagonal y coser el tallo por encima como antes.

Flores

Nota: no cortar la cinta de 13 mm hasta haber hecho las bastillas de cada tira.

En el paso 5, es importante hacer la costura a lo largo del borde rosa y cruzando el orillo blanco, dar luego un solo punto raso hacia atrás, hacia el

borde rosa. Este punto atrás hace que los pétalos se inclinen hacia delante al coserlos a la tela.

5 Enhebrar el hilo rosa pálido en una aguja fina y hacer un nudo en la punta. Consultando la página 32, hacer una bastilla menuda a lo largo de la cinta teñida de rosa, como se indica en el diagrama de más abajo, y cortar la cinta en diagonal, a 1 cm de la última costura. No cortar la hebra ni rematar. Hacer otras cuatro tiras iguales.

6 Hacer otras dos tiras de cinta para las flores semiabiertas: una de tres secciones de costuras de 2,5 cm y otra de dos secciones de costuras de 2 cm.

7 Tomar una de las cintas largas de cinta rosa teñida (de las cosidas en el paso 5). Consultando la página 33, anclar con hilo blanco un extremo del nudo de la cinta en A de la flor 1. Sin fruncir la cinta, salir con la aguja en B y dar una puntada sobre el orillo entre las dos primeras secciones de costura. Dejar que el pétalo se doble hacia fuera. Repetir con las cuatro secciones siguientes y luego pasar el extremo de la cinta con cuidado por el mismo agujero de A para completar el círculo. Rematar por detrás del pétalo (no por detrás del centro de la flor).

8 Colocar el dedo índice en el centro de la flor, tirar suavemente del hilo de frunce para dar forma a los pétalos y situarlos repartidos alrededor del círculo central. Utilizar ese hilo

para coserlos en su sitio. Colocar los bordes de los pétalos hacia delante y, si fuera necesario, dar una puntada en el borde de algún pétalo para mantenerlo en su lugar. Rematar los dos extremos del hilo de frunce.

9 Bordar el resto de las flores y las flores semiabiertas de igual modo, utilizando el largo correspondiente.

Capullos

10 Cada capullo consiste en dos puntos rasos bordados desde la base hasta la punta con cinta de 7 mm rosa teñida. Tensar la cinta sobre una segunda aguja para dar forma bulbosa a la punta (ver página 26).

Tallos de las flores

11 Tomar una hebra de cordel, humedecerla y enjabonarla como antes y pasar luego un extremo hacia el revés y sujetarlo con hilo. Dar un punto raso flojo y en curva desde la rama principal hasta la flor 1 y fijarlo por el revés. Hacer los tallos de las demás flores y de los capullos.

Hojas

12 Bordar las hojas pequeñas en la base del capullo y en los tallos de las flores a punto de cinta, con cinta de 4 mm verde teñida.

13 Con cinta de 13 mm verde teñida, hacer las tres hojas grandes del extremo de la rama y bordar las demás con cinta de 7 mm. Hacer un punto raso flojo para conectar cada una de estas hojas con la rama, utilizando tres hebras de hilo gris.

Centros de flor

14 Los estambres se hacen con una hebra de hilo blanco y otra de hilo amarillo pálido. Encerar el hilo, hacer tres presillas en el centro de la flor y rematar. Cortar las presillas a un largo de 5 mm. Hacer una fila de seis a ocho puntos de nudo de dos y tres vueltas (ver página 39), situándolos entre los estambres ya hechos.

15 Mezclar un poco de pintura para tela blanca y rojo amapola con un toque de amarillo primario para obtener un naranja. Con un pincel fino, pintar con cuidado la punta de cada estambre.

Pintar los tallos y las hojas

16 Mezclar un poco de pintura para seda azul marino con un toque de pintura para tela amarillo primario y rojo amapola para obtener un verde marrón y pintar con cuidado la cuerda de la rama y de los tallos.

17 Con la misma mezcla y la punta de un pincel fino, pintar en cada hoja una fina nervadura central que se vaya extendiendo y difuminando hacia la punta. Añadir unas cortas nervaduras laterales en curva para completar el bordado.

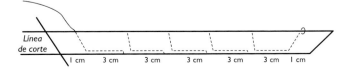

Línea de corte   1 cm   3 cm   3 cm   3 cm   3 cm   3 cm   1 cm

Costuras de la cinta para las flores.

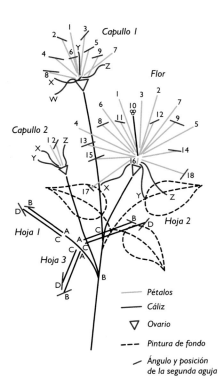

Plantilla a la mitad de su tamaño real;
ampliarla al 200%. Empezar por marcar con
puntitos hechos con un lápiz fino el contorno
de las hojas pintadas en el fondo, las líneas de
las nervaduras centrales y el tallo desde B.
Retirar la plantilla y pintar las hojas del fondo.
Volver a colocar la plantilla en su sitio y
marcar la base y la punta de cada pétalo de la
flor, excepto los pétalos 8, 9 y 10; todos
los pétalos del capullo 1 excepto el 4;
todos los pétalos y el cáliz del capullo 2; los
extremos de las hojas; la base del tallo A y
las uniones de los tallos laterales con el tallo
principal en B y C.

2 m de cinta de 13 mm crema (n.º 156)

0,67 m de cinta de 13 mm musgo (n.º 20)

0,67 m de cinta de 7 mm musgo (n.º 20)

30 x 40 cm de tela de lino/algodón; hilo de
bordar mouliné musgo intenso (n.º 268),
musgo (n.º 266) e hilo blanco a tono con la
tela de fondo; pintura para seda en magenta,
azul marino, rojo amapola y amarillo primario;
pintura para tela en azul marino, rojo cárdeno
y amarillo botón de oro.

Rosa

Las rosas se cultivan desde hace siglos en todo el mundo. En un principio
se valoraban sobre todo por sus usos medicinales, y en las ceremonias
religiosas se ofrecían como símbolo de perfección terrenal y celestial.
En épocas más recientes pasaron a simbolizar la pureza y el amor.

Hay una rosa para cada ocasión, desde plantas enanas hasta arbustos de
todos los tamaños, incluidos trepadores, que florecen desde principios
del verano hasta los primeros fríos del otoño. A menudo presentan tallos
espinosos y las flores pueden crecer aisladas o en grupos, con colores,
tamaños y formas muy variados.

Los pétalos están bordados con cinta de 13 mm crema y se les ha dado
forma y posición con el ojo de una segunda aguja. La punta del ojo de
la segunda aguja (o un bastoncillo de algodón) ha servido para formar
el extremo de los pétalos de detrás de la flor. Luego se ha sombreado
ligeramente cada uno de los pétalos y se han pintado las hojas para
completar el proyecto.

Pintar las hojas de fondo

Nota: pintar las hojas de fondo algo mayores
que lo indicado en la plantilla para ocultar los
puntitos a lápiz.

1 Mezclar pintura para tela azul marino con
amarillo botón de oro para obtener verde.
Añadir una gota de rojo cárdeno a la mitad de
la mezcla para conseguir una tonalidad distinta
y diluirla con un poco de agua para que quede
más pálida.

2 Utilizando las dos mezclas y con un pincel
limpio de punta fina, tomar un poco de pintura
y aplicarla empezando por la base de una hoja,
dibujando una fina nervadura central hasta casi
la punta. Con un pincel fuerte, dar pinceladas
en curva para pintar suavemente la mitad de

la hoja a partir de la nervadura hasta el borde,
cubriendo justo los puntitos. Pintar la otra mitad
igual y completar luego las otras dos hojas.

3 Añadir algo de rojo a una de las mezclas para
obtener un verde más marrón y pintar los tallos
partiendo de la base y subiendo un poco por
la nervadura central. Añadir otro toque más
de rojo y pintar una fina línea a picos por el
borde de las hojas (ver fotografía). Dejar secar y
planchar la tela.

Capullo 1

Nota: al bordar los capullos y la flor, si la
posición de un pétalo queda oculta por otro
pétalo ya bordado, se levanta con cuidado
este último para ver por debajo o bien se
utilizan como guía la plantilla y la fotografía.

4 Enhebrar una tira de cinta de 13 mm crema en una aguja del n.° 13 y anclarla en la base del pétalo 1, detrás del pétalo que se vaya a bordar. Volver a enhebrar la cinta y dar un punto raso en la punta, tensando la cinta por encima del ojo de una segunda aguja para dar forma al pétalo (ver página 27). Rematar.

Nota: al rematar un punto, no cortar la hebra, retirarla hacia un lado y enrollarla en torno a la aguja para que no se afloje y quede lista para anclar el pétalo siguiente.

5 Bordar los demás pétalos de este modo: pétalo 2, punto de cinta a la izquierda; pétalo 3, punto de cinta a la derecha; pétalos 4 y 5, puntos rasos; pétalo 6, punto de cinta centrado; y pétalos 7 a 9, puntos rasos.

Flor

6 Bordar los pétalos 1 a 9 a punto raso. Salir luego con la aguja en la base del pétalo 10 y hacer un punto de nudo flojo con tres vueltas, dando la segunda vuelta un poco más floja que la primera y la tercera algo más floja aún. Colocar en su sitio el nudo al clavar la aguja hacia el revés en 10 y rematar. Con un hilo a tono, dar una puntada en la base del nudo para fijarlo.

7 Los pétalos 11 y 12 son puntos de cinta centrados; los pétalos 13 a 15 son puntos rasos, y el pétalo 16 es un punto de cinta con presilla (ver página 31). Los pétalos 17 y 18 se bordan a punto raso, colocando antes un bastoncillo de algodón en la base de cada pétalo para que quede abombado y utilizando luego una segunda aguja para dar forma a la cinta.

Capullo 2

8 Hacer un punto raso para el pétalo 1. Con el extremo del ojo de una segunda aguja, formar una punta y enrollar los laterales de la cinta hacia dentro para dar forma y estrechar el punto. Para el pétalo 2, hacer un punto de cinta a la derecha.

Pintar la flor y los capullos

Nota: pintar los pétalos por orden de numeración. Colocar una almohadilla de espuma debajo de la rosa y utilizar alfileres con cabeza de vidrio para apartar los pétalos hechos de los que se estén pintando (ver página 17). Tener cuidado de no atravesar los pétalos hechos con los alfileres donde se pudiera ver la marca.

9 Mezclar pintura para seda magenta con un poco de rojo amapola y de amarillo primario y diluirla con agua para obtener el tono adecuado. Probar el color en un resto de cinta y mezclar pintura suficiente para llenar una cucharilla de té.

10 Empezando por el pétalo 1 de la flor, humedecer la zona visible con agua limpia, parando antes de llegar a la punta. Tomar un poco de pintura con la punta del pincel y dar solo un toque en el pétalo a 5 mm de la punta. Aplicar otro toque de pintura si fuera necesario, cuidando de no mojar demasiado el pétalo. Dejar secar.

11 Seguir pintando los pétalos por orden; pintar el punto de nudo después del pétalo 9, aplicando la pintura justo debajo de los bordes enrollados y dejando que se extienda hasta difuminarse.

12 Pintar los capullos de igual forma, pero dando un color más intenso al pétalo 1 del capullo 2.

13 Hacer una mezcla muy pálida de pintura para seda amarillo primario. Humedecer la base del pétalo 1 de la flor 1 y darle un toque

de pintura con la punta del pincel. Dejar secar. Matizar de igual modo la base visible de todos los pétalos.

Cálices

Nota: todos los cálices se trabajan a punto de cinta doble, aparte del punto en W.

14 Empezar por el capullo 1. Anclar una cinta de 7 mm en la base de W y hacer un punto de cinta invertido en la punta, tensando la cinta sobre una segunda aguja para que el punto quede alargado (ver página 26). Rematar. Hacer para X un punto de cinta a la izquierda, un punto de cinta centrado para Y y un punto de cinta a la derecha para Z. En cada caso, tensar la cinta para alargar la punta, cuidando al mismo tiempo de colocar la cinta alrededor del capullo. Para el ovario abajo del cáliz, hacer un punto raso desde la base, tensando la cinta sobre el ojo de una segunda aguja situada junto al capullo.

15 Para el capullo 2, hacer un punto de cinta a la izquierda para X e Y y un punto de cinta a la derecha para Z. Bordar el ovario igual que el del capullo 1.

16 La flor lleva un punto de cinta a la izquierda para X, un punto de cinta centrado para Y y un punto de cinta a la derecha para Z. El ovario se borda como antes.

Tallos de flor

17 Juntar un hilo para el tallo con cinco hebras de musgo intenso y dos de musgo, enhebrarlo y hacer un nudo a 2 cm del final. Frotar un trozo de jabón humedecido a lo largo del hilo desde el nudo. Salir con la aguja en la base del tallo A y llevarlo hasta la base de la flor. Con un hilo a tono dar una puntada en B para colocarlo. Rematar todas las hebras.

18 Formar un hilo con una hebra de musgo y tres de musgo intenso para hacer los tallos de los dos capullos. Hacer el tallo desde C y desde D para los capullos 1 y 2 respectivamente. Con el ojo de una segunda aguja, pasar el hilo por detrás de los pétalos de la flor, rematando cada tallo al terminarlo.

Hojas

19 Anclar una cinta de 13 mm musgo en A de la hoja 1, hacer un punto raso en B y rematar. Anclar la cinta en C y hacer un punto de cinta a la derecha en D. Rematar.

20 Para las hojas 2 y 3, hacer A-B con un punto raso y C-D con un punto de cinta a la izquierda.

21 Bordar un tallo desde B hasta la base de la hoja 1, como los tallos de los capullos (ver paso 18).

Pintar las hojas

22 Empezando por la hoja 1, mezclar pintura para seda azul marino con pintura para tela amarillo botón de oro con el fin de obtener

Existen muchos tipos de rosas en toda una gama de colores, desde las variedades enanas hasta las grandes flores intrincadas, desde las que tienen solo cinco pétalos, como las rosas silvestres (arriba a la derecha), hasta las que tienen los pétalos densamente apretados. Las cuatro flores de arriba están bordadas con cinta de 13 mm, con los pétalos matizados en la base o en la punta. El ramillete de rositas se borda a punto de cinta con presilla, utilizando cinta de 7 mm que se deja sin pintar.

un verde intenso. No diluir la mezcla ni humedecer la cinta. Con la punta de un pincel fino, pintar una nervadura central y luego unas finas nervaduras laterales, sin llegar al borde de la hoja. Dejar secar. Diluir un poco la pintura, humedecer la hoja y sombrear ligeramente ciertas zonas para terminar. Pintar las hojas 1 y 2 de igual modo.

Pintura de los cálices

23 Utilizar la misma mezcla del paso 22 y no humedecer la cinta. Empezando por el capullo 1 y empleando una segunda aguja para levantar la cinta, pintar cada punto dejando sin pintar la zona central para sugerir luces y sombras.

Pintar el ovario de debajo del capullo de la misma forma. Pintar los otros dos cálices y dejar secar.

Nota: la cinta de 13 mm es muy propensa a embeber la humedad; ver páginas 14 y 17.

Espinas

24 Enhebrar dos hebras de musgo intenso en una aguja fina y, guiándose por la fotografía, bordar una espina dando unos pequeños puntos de margarita sobre el tallo de derecha a izquierda, justo encima de la base. Rematar. Repetir a la derecha del tallo en B y hacia la mitad del tallo del capullo 2.

Esta rama de rosas es parecida a la de la página 103, aunque algo más pequeña y con la rosa de menos pétalos. Está bordada con cinta de 13 mm rosa (n.º 05) y luego se han matizado delicadamente los pétalos por la parte cóncava. Una vez seca, la base de los pétalos visibles queda levemente sombreada de verde pálido.

Scabiosa

La escabiosa silvestre es una flor pequeña que crece en los prados de toda Europa, del Mediterráneo y en otras muchas regiones del mundo. Aquí he optado por bordar la variedad de cultivo con su centro grande, semejante a un alfiletero, rodeado de pétalos delicadamente fruncidos. Los suaves blancos, amarillos claros, rosas y azules de esta flor, junto con sus largos tallos rectos, hacen de la escabiosa una flor muy bonita, apreciada por jardineros y floristas.

Los pétalos se han trabajado primero con dos tiras de cinta de 13 mm blanca fruncida y luego el centro se ha rellenado con puntos de nudo; los pétalos se han matizado en azul desde el orillo.

Coser la cinta

Nota: no cortar la cinta de 13 mm hasta tener cosidas las bastillas de frunce.

1 Enhebrar una aguja fina con una hebra azul pálido, pero no hacer un nudo en la punta. Consultando las páginas 32-33 y siguiendo con cuidado el diagrama de abajo de esta página, salir con la aguja en A sobre la cinta de 13 mm blanca y, dejando un cabo de hilo de 10 cm, hacer una bastilla menuda cruzando la cinta al bies, siguiendo luego 3 cm por el orillo y volviendo después a cruzar tres cuartos de la cinta ligeramente en ángulo. Dar una sola puntada rasa por el derecho de la cinta volviendo al orillo y seguir así hasta llegar a E. No rematar ni cortar el hilo. Cortar la cinta al bies a 1,5 cm de la última línea de costura.

2 Coser de este modo otras tres tiras de cinta: una como en el paso 1 y dos con seis secciones de 2,5 cm.

Flores

Nota: ver las páginas 32-33 sobre las técnicas de fruncido.

3 Con hilo blanco, anclar en A el extremo anudado de una de las tiras largas de cinta para la flor 1 y salir con la aguja en B (ver diagrama a la izquierda). Fruncir ligeramente la cinta y situarla sobre la línea dibujada hasta B. Anclar la cinta en B con una puntada pequeña en B sobre la cinta, evitando el hilo de frunce.

4 Salir con la aguja en C y repetir, anclando el punto C de la cinta en el punto C de la tela y el punto D de la cinta en el punto D de la tela. Pasar ahora el extremo de la cinta hacia el revés en A, de manera que se encuentren los dos extremos de la cinta y, sin coser sobre las costuras de frunce, rematar con el hilo blanco. Salir con la aguja en A, justo por dentro del centro de la flor.

5 Poner los dedos con cuidado encima del volante de cinta y al mismo tiempo tirar despacio de cada extremo del hilo de frunce para ajustar el borde de la cinta a la línea de pétalos dibujada y dar forma a estos. No cortar los hilos de frunce: enrollarlos sobre un alfiler para sujetarlos a un lado del bordado.

6 Igualar las secciones fruncidas si hiciera falta, utilizar el hilo de anclaje para coser por encima de la costura de frunce y fijar cada sección. Tirar suavemente de cada extremo del hilo de frunce otra vez para asentar los pétalos y rematar todas las hebras.

Plantilla a la mitad de su tamaño real; ampliarla al 200%. Marcar con puntitos los círculos de las flores y los puntos A-D en cada una, además del principio y final de los tallos, el cáliz y el capullo y las posiciones de las hojas. Dibujar suavemente los círculos.

1,5 m de cinta de 13 mm blanca (n.° 03)

1,5 m de cinta de 4 mm verde suave (n.° 33)

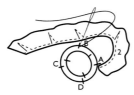

Cosido de los pétalos.

35 x 28 cm de tela de lino/algodón; hilo de bordar mouliné en verde hoja (n.° 216), verde claro (n.° 859), verde manzana suave (n.° 264) y azul pálido (n.° 144) e hilo blanco a tono con la tela de fondo; pintura para seda en azul marino y amarillo primario; pintura para tela en azul cobalto y amarillo botón de oro.

Costuras en la cinta para las flores.

7 Con una de las tiras cortas de cinta, hacer los pétalos interiores del mismo modo.

8 Bordar la flor 2 igual que la flor 1.

Pintar los pétalos

Nota: trabajar sobre una almohadilla de espuma y utilizar alfileres con cabeza de vidrio pinchados en la tela (no en la cinta) para separar los pétalos interiores de los exteriores mientras se pintan (ver página 17).

9 Para la flor 1, mezclar un poco de pintura para seda amarillo primario con azul marino para obtener un verde claro, humedecer los pétalos exteriores con agua limpia y pintar una fina línea alrededor de la base para darles un poco de color.

10 Antes de que se sequen los pétalos, diluir un poco de pintura para seda azul marino y probarla arriba. Repetir una vez más y dejar que el color se extienda, difuminándose hacia el centro de la flor. Repetir si se necesita dar más color.

11 Pintar los pétalos interiores de la misma manera.

12 Pintar la flor 2 igual que la flor 1.

Centro de las flores

13 Juntar un hilo con una hebra azul pálido, una verde manzana suave y dos verdes, enhebrarlo en una aguja del n.º 24 y hacer un nudo en la punta. Hacer un punto de nudo de tres vueltas en el centro de la flor 1 y hacer un anillo de puntos de nudos de tres vueltas muy juntos alrededor; luego, rellenar el resto del centro de la flor con puntos de nudo de dos vueltas muy juntos.

14 Hacer la flor 2 igual que la flor 1.

Capullo

15 Hacer el centro de puntos de nudo como para las flores; después, con cinta de 4 mm verde suave, dar puntos de cinta partiendo de los puntos de nudo hacia fuera para formar el cáliz.

Tallos

16 Juntar un hilo con cuatro hebras de verde hoja y cuatro verdes claros. Enhebrarlo y hacer un nudo a 10 cm de la punta. Para cada flor, dar un punto raso desde la base del tallo y rematar por detrás de la flor. Retirar una hebra de cada color y hacer el tallo del capullo; luego, con una hebra a tono, coser por encima cada tallo para mantenerlo en su sitio.

Hojas

17 Con cinta de 4 mm verde suave, bordar primero los puntos de cinta largos del centro y después los de las hojas laterales más pequeñas. Rematar.

18 Mezclar pintura para tela amarillo botón de oro y azul cobalto para obtener verde, y con un pincel fino pintar una nervadura central en cada hoja y en los sépalos del cáliz.

107

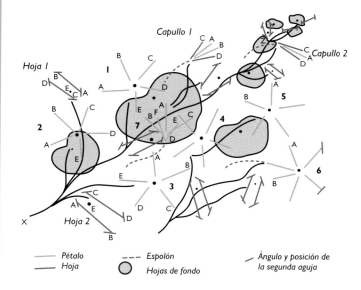

Capullo 1

Hoja 1

Capullo 2

Hoja 2

X

—— Pétalo	- - - Espolón
—— Hoja	⬤ Hojas de fondo

╱ Ángulo y posición de la segunda aguja

Tropaeolum

Desde principios hasta mediados del verano, se pueden admirar las grandes flores de la capuchina, con su llamativa forma de trompeta, enroscándose en cualquier cosa que tengan cerca. Las flores destacan sobre las hojas en forma de platitos, con sus colores que van del amarillo más pálido hasta los naranjas y los rojos, exhibiendo su perfección.

Los pétalos y las hojas se bordan a punto raso y a punto de cinta, y el tiempo y el cuidado que se dedique a colocar bien las puntadas, como se indica en la plantilla, merece la pena. Después, la pintura y el sombreado dan vida al bordado terminado.

Plantilla a la mitad de su tamaño real; ampliar al 200%. Transferir la silueta de las hojas de fondo con puntitos a lápiz. Cuando se haya pintado el fondo, volver a colocar la plantilla y transferir la posición de las hojas. Dibujar las líneas de conexión y repetir para los centros de las flores, los capullos, los puntos X y Z del tallo principal y los puntos de unión con los tallos laterales; no dibujar las líneas de los pétalos, aparte de los pétalos A, B y C de la flor del fondo 7, porque quedarían visibles.

3 m de cinta de 13 mm amarilla (n.º 15)

1 m de cinta de 7 mm amarilla (n.º 15)

0,67 m de cinta de 13 mm musgo (n.º 20)

1 m de cinta de 13 mm blanca (n.º 03)

1 m de cinta de 7 mm blanca (n.º 03)

0,5 m de cinta de 4 mm amarillo suave (n.º 14)

Pintar las hojas de fondo

/ Mezclar sobre un azulejo pintura para tela en amarillo botón de oro con pintura para seda azul marino con el fin de obtener un verde; a la mitad del verde añadir una gota de rojo para conseguir un tono musgo. Con un pincel fino, pintar una fina raya por el contorno de las hojas para tenerla de guía y pintar un punto en el centro. Ahora, con un pincel fuerte y pequeño de borde recto tomar un poco de pintura para pintar suavemente las hojas partiendo del punto central. Dejar secar y planchar.

35 x 30 cm de tela de lino/algodón; hilo de bordar mouliné verde manzana suave (n.º 264) e hilo blanco a tono con la tela de fondo; algodón de bordar amarillo intenso; pintura para seda en rojo amapola, azul marino y amarillo primario; pintura para tela en azul cobalto, amarillo botón de oro, rojo cárdeno y blanco.

Pintar la cinta

Nota: si el color aplicado a la cinta resulta demasiado fuerte, limpiarla pasando un papel de cocina para retirar parte de la pintura. Siempre se está a tiempo de dar más color.

2 Cortar por la mitad la cinta de 13 mm amarilla, para tener dos tiras de 1,5 m de longitud. Poner un poco de pintura para seda rojo amapola en un azulejo y diluirla con dos o tres gotas de agua. Humedecer una de las tiras de cinta con agua limpia y pintarla con un pincel fuerte, variando la tonalidad a lo largo de ella (ver página 15). Colgar la cinta para que se seque. Añadir un poco más de agua a la mezcla para obtener un tono más claro y repetir con la otra tira de 1,5 m; luego, teñir la cinta de 7 mm amarilla en un tono aún más claro.

3 Mezclar pintura para seda amarillo primario y azul marino para obtener un verde intermedio, y añadir una gotita de rojo para lograr un tono

más musgo. Teñir a manchas la cinta de 13 mm blanca (ver página 15). Aclarar un poco más la pintura y teñir la cinta de 7 mm blanca. Secar y planchar todas las cintas pintadas.

Flores 1 y 2

4 Cortar una tira de la cinta de 13 mm de color naranja más pálido, doblar un extremo por la mitad a lo largo y enhebrarlo en una aguja grande (ver página 22). Pasar la cinta hacia el revés en la punta del pétalo A de la flor 1, de modo que el doblez quede por arriba (como una V invertida) y que la cinta se abra hacia fuera en el centro de la flor. Retirar la aguja, abrir la cinta por el revés y anclarla por detrás del pétalo que se vaya a bordar. Hacer un punto de cinta en la base del pétalo tensando la cinta sobre el ojo de otra aguja para que quede levantado y alargar ligeramente el cuello del pétalo. Rematar. Con un bastoncillo de algodón, levantar y dar forma al pétalo. Bordar los pétalos B, C, D y E de igual manera pero sin alargar el cuello.

5 Bordar la flor 2 del mismo modo.

6 Hacer un nudo en la punta de una tira de cinta de 4 mm amarillo suave y enhebrarla en una aguja del n.° 18. Salir con la aguja en la base del pétalo A de la flor 1 y hacer un punto de

cinta centrado, en el centro de la flor. Bordar de igual manera los demás pétalos de la flor 2.

Flor 3

7 Bordar el pétalo A haciendo un punto raso más aplastado, y el B con un punto de cinta centrado; bordar luego los pétalos C a E como en los pasos 4 a 6.

Capullos

8 Con la cinta de 7 mm teñida de naranja, hacer un punto raso desde la base del capullo 1 hasta A. Rematar y repetir con B. Rematar.

9 Con cinta de 7 mm verde teñida, hacer un punto raso desde la base del capullo hasta C y repetir hasta D, utilizando una segunda aguja para envolver los pétalos con los puntos. Rematar.

10 Anclar la cinta de 7 mm verde teñida en la base del capullo, tensarla sobre una segunda aguja para alisarla y retorcer los 3 o 4 primeros centímetros de la cinta para hacer un rollito. Clavar la aguja hacia el revés sobre la cinta (para fijar el rollito) y sobre la tela en la punta del espolón. Rematar.

11 Bordar el capullo 2 como el 1, pero con un solo pétalo (A).

Flor del fondo 7

12 Con la cinta de 13 mm naranja fuerte, hacer tres puntos rasos en A, B y C. No bordar todavía el cáliz.

Hojas 1 y 2 y arriba a la derecha

Nota: obsérvese el ángulo de la segunda aguja en los extremos de las hojas.

13 Empezando por la hoja 1, anclar en A la cinta de 13 mm verde teñida y hacer un punto raso hasta B. Rematar y hacer luego C-D solapando ligeramente A-B. Para tirar de la cinta hacia abajo y dar forma a la hoja, utilizar una sola hebra de hilo a tono y dar una puntadita en el borde de las dos cintas en E. Rematar.

14 Hacer de igual manera las dos hojas pequeñas de arriba a la derecha de la fotografía, con cinta de 7 mm verde teñida; bordar con un solo punto las dos hojas más pequeñas en lo alto del tallo principal.

Tallos

15 Enhebrar seis hebras de hilo verde manzana suave, hacer un nudo a 1 m de la punta y salir con la aguja en la base del tallo principal (X). Guiándose por la plantilla, situar el hilo a lo largo del tallo y clavar la aguja hacia el revés en Z. No rematar. Coser por encima el tallo en su sitio, alineándolo con los puntos de unión de los tallos laterales. Utilizando tres hebras para los tallos de las flores y de los capullos y dos hebras para las hojas, bordar los demás tallos según se indica en la plantilla. Ayudarse del ojo de una segunda aguja para pasar los tallos por debajo de las hojas cuando corresponda.

Pintar las flores

16 En un azulejo, mezclar pintura para tela amarillo botón de oro con pintura para seda azul marino y añadir un toque de rojo para obtener un rojo marrón fuerte. Con un pincel de punta fina, limpio y seco, tomar un poquito de la mezcla y pintar las nervaduras que parten desde la base del pétalo A de la flor 1. Pintar de igual modo los demás pétalos y a continuación las flores 2 y 3. Dejar secar.

17 Diluir un poco de pintura para seda rojo amapola, humedecer el pétalo A de la flor 1 partiendo del centro y aplicar pintura solamente en el centro del pétalo, dejando que el color se extienda unos 5 mm, difuminándose hacia los bordes. Pintar de igual manera el resto de los pétalos y completar luego las flores 2 y 3. Dejar secar.

18 Hacer una mezcla marrón rojizo fuerte como en el paso 16 para sombrear la base de los pétalos de la flor 7. Dejar secar.

Pintar las hojas

19 Para las hojas 1 y 2 utilizar pintura para tela blanca y un pincel de punta fina para pintar las finas nervaduras partiendo de E (punto central). Dejar secar. Pintar también las nervaduras de las hojas pequeñas de arriba a la derecha de la fotografía.

20 Hacer dos mezclas de pintura para seda verde intermedio sobre un azulejo y añadirle a una un poquito de rojo para obtener un tono musgo. Humedecer la hoja 2 con agua limpia y aplicar unos puntos de cada color al azar, dejando que se extiendan hacia los bordes. Diluir las mezclas de verde intermedio y pintar las demás hojas de igual modo. Dejar secar.

Completar las flores, hojas y tallos

21 Empezar por el cáliz de la flor 7 (flor del fondo). Con cinta de 7 mm teñida de naranja, salir en D y hacer un punto raso hasta E, tensando la cinta sobre una segunda aguja en D para que la puntada termine en punta en E. Repetir para D-F.

22 Para la flor 4, bordar todos los pétalos como el pétalo A de la flor 1, utilizando la cinta de 13 mm de naranja más fuerte. Para las flores

5 y 6, bordar los pétalos A y B con puntos rasos, luego los demás pétalos como el A de la flor 1. Bordar el espolón igual que los capullos (paso 10). Coser todos los centros de flor como en el paso 6.

23 Con cinta de 13 mm musgo, bordar el resto de las hojas como la hoja 1 (ver paso 13). Bordar el resto de los tallos.

24 Pintar las nervaduras de las demás flores siguiendo los pasos 16 y 17, utilizando pintura para seda rojo amapola muy ligeramente diluida y un pincel seco.

25 Pintar el resto de las hojas siguiendo los pasos 19 y 20, pero con una mezcla verde intermedio y verde intenso.

Estambres

26 Enhebrar un hilo de algodón de bordar amarillo, hacer un nudo a 1 o 2 cm de la punta y pasarlo hacia el revés por el centro de la flor 1, dejando que asome la punta por el derecho de la tela. Con cuidado de no aplastar las flores, hacer un nudo de anclaje por el revés, pegado a la tela (ver página 38). Salir de nuevo con la aguja junto al primer hilo y formar una presilla de 1 cm de alto por el derecho. Hacer de nuevo un nudo por el revés y repetir para hacer otra presilla. Hacer otro nudo y salir una vez más con el hilo por el derecho y cortarlo a 1 cm de la tela. Cortar las presillas y las hebras a unos 7 mm. Repetir con las demás flores.

27 Con pintura para tela, hacer una mezcla marrón rojizo y pintar la punta de cada estambre. Dejar secar.

Todas las capuchinas de esta fotografía se trabajan del mismo modo que la de la página 109, aunque las flores del centro están realizadas con cinta de 7 mm.

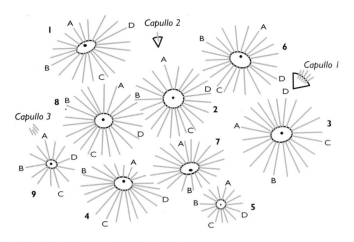

Ursinia

Las flores amarillas, naranja o rojas de la ursinia crecen silvestres en la sabana árida de Sudáfrica. Las flores son parecidas a las margaritas, con un centro prominente, y se elevan sobre una masa de hojas pequeñitas. Para sugerir las hojas enrollé un trozo de cordel, lo mojé en pintura y con él di color al fondo de detrás de las flores. Luego bordé las flores a punto raso y las pinté. Por último, con cinta verde de 2 mm bordé más hojas al azar, a punto de hoja.

Plantilla a la mitad de su tamaño real; ampliarla al 200%. Después de pintar el fondo, transferir primero las posiciones de las flores 2 a 5. Marcar el centro de las flores y los extremos de los pétalos, luego dibujar suavemente las líneas de los pétalos, solo de A a D. Volver a colocar la plantilla y repetir para las flores 1 y 6 a 9 y para las puntas de los pétalos de los capullos.

Nota: algunas flores tienen el centro ovalado.

9 m de cinta de 4 mm amarilla (n.° 15)

4 m de cinta de 2 mm musgo (n.° 20)

3 m de cinta de 2 mm verde intenso (n.° 21)

33 x 28 cm de tela de lino/algodón; hilo de bordar mouliné en musgo intenso (n.° 268), musgo (n.° 266), cobre (n.° 888), oro (n.° 306), amarillo (n.° 305) e hilo blanco a tono con la tela de fondo; pintura para seda en rojo amapola y azul marino; pintura para tela en amarillo botón de oro; 25 cm de cordel de cocina.

Pintar el fondo

1 En un azulejo, mezclar pintura para tela amarillo botón de oro con pintura para seda azul marino y obtener dos tonos de verde. Enrollar el cordel en torno a dos dedos, sacar el rollo y sujetar firmemente un extremo de las vueltas con una mano. Mojar las vueltas del otro lado en las pinturas y aplicar el color sin apretar y al azar, por la zona donde se vayan a bordar las flores, dibujando pequeñas hojitas por el fondo. Dejar secar y planchar.

Flor 1

Nota: los pétalos varían ligeramente de longitud y de separación entre ellos; consultar la plantilla al bordar. Los pétalos largos de delante y hacia los laterales de las flores ovaladas quedan más huecos y se van aplastando hacia los de detrás, que son más cortos. De este modo se sugiere la inclinación de la flor.

2 Enhebrar una aguja del n.º 18 con 50 cm de cinta de 4 mm amarilla y hacer un nudo en la punta. Salir con la aguja en la base del pétalo A, tensar la cinta sobre el ojo de una segunda aguja y hacer un punto raso en la punta. Tirar despacio de la cinta para alargar la punta, luego salir con la aguja en la base del pétalo B. Hacer de igual manera los pétalos B, C y D,

y después el resto de los pétalos por orden. Rematar.

Nota: es importante no cruzar las cintas por el centro de la flor.

3 Poner en un azulejo un poco de pintura para seda rojo amapola y después, con un pincel limpio de punta fina, humedecer la mitad inferior de tres o cuatro pétalos. Aplicar algo de pintura roja en la base de cada pétalo y dejar que se extienda y se difumine hacia la punta. Pintar de igual modo el resto de los pétalos y dejar secar. Mezclar ahora pintura para seda azul marino y rojo amapola para obtener un morado; limpiar y secar el pincel y, con la punta de este, pintar sin apretar unas finas líneas desde la base de cada pétalo. Dejar secar.

4 Para el centro de la flor, juntar tres hebras de hilo cobre en una aguja y hacer un nudo en la punta. Bordar un punto de nudo de tres vueltas en el centro de la flor y rematar. Enhebrar ahora dos hebras de oro y una de amarillo, como antes, y hacer un anillo de puntos de nudo de dos vueltas muy juntos alrededor del primer nudo, seguidamente hacer puntos de nudo de una vuelta para rellenar el centro y completar la flor. Rematar.

Flores 2 a 9

5 Bordar las demás flores de igual modo, por orden de número. Obsérvese que los pétalos de la flor 5 quedan ligeramente más levantados que los de las otras flores.

Capullos

6 Hacer a punto raso los pétalos del capullo 1 con cinta de 4 mm amarilla y rematar. Con cinta de 2 mm musgo, hacer seis puntos rasos para el cáliz, solapándolos en la base y situándolos como radios hacia fuera para cubrir justo la parte inferior de los pétalos. Rematar. Hacer el capullo 2 de igual forma pero con un solo pétalo a punto raso y cinco sépalos. El capullo 3 se borda como el 2, pero sin pétalo.

Tallos y hojas

7 Hacer un punto raso corto partiendo de cada capullo con tres hebras de hilo musgo intenso para los tallos. Las hojas se bordan salpicadas, a punto de hoja con cinta de 2 mm (ver página 36). Hacer hojas en verde más oscuro en las zonas sombreadas y utilizar un verde más claro en las demás zonas. Rellenar los espacios con puntos de hoja bordados con una hebra de musgo y una de musgo intenso juntas, para completar.

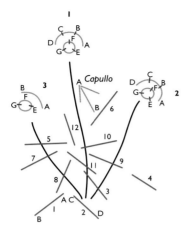

Plantilla a la mitad de su tamaño real; ampliarla al 200%. Transferir la posición de las flores, del capullo, de las hojas y de la base de los tallos. Dibujar suavemente solo las líneas 5 a 12.

1,25 m de cinta de 13 mm crema (n.º 156)

0,75 m de cinta de 13 mm verde claro (n.º 31)

0,25 m de cinta de 7 mm verde claro (n.º 31)

0,25 m de cinta de 4 mm amarilla (n.º 13)

Numeración de los pétalos.

30 x 30 cm de tela de lino/algodón; hilo de bordar mouliné verde (n.º 216), rosa pálido (n.º 73) e hilo blanco a tono con la tela de fondo; pintura para seda en magenta, azul marino y amarillo primario; pintura para tela en azul cobalto y amarillo botón de oro.

Viola

El pensamiento florece durante casi todo el año y es una planta maravillosamente versátil, muy apreciada en jardinería. Las flores tienen cinco pétalos y se suelen comparar con caritas pintadas. Se presentan en una enorme gama de colores vibrantes, del blanco al casi negro, pasando por el azul, morado, amarillo y rojo, de un solo color o de cualquier combinación de colores.

Primero se bordan los dos pétalos de detrás y luego los tres delanteros, con cinta de 13 mm. Esta variedad se conoce como Sorpresa Antigua. Me encantan sus pétalos pálidos y matizados, pero se puede utilizar cualquier otra combinación de colores.

Flor 1

Nota: no cortar la cinta de 13 mm hasta tener terminadas las costuras de un pétalo.

1 Enhebrar una aguja fina con una hebra de hilo rosa pálido y hacer un nudo en la punta. Tomar la cinta de 13 mm crema y, siguiendo los diagramas 1 y 2 de la página siguiente, hacer unas bastillas pequeñas y cortar la cinta como se indica (ver páginas 32-33).

2 Con una hebra de hilo blanco, anclar en A el extremo del nudo del ancho de la cinta y salir con la aguja hacia el derecho en B.

3 Pasar la aguja por X sobre la cinta y clavar hacia el revés en B para fijarla, luego salir con la aguja en C, sin pillar el hilo de frunce. Doblar la cinta hacia arriba siguiendo la línea de frunce X-Y. Pasar la aguja por el doblez en Y, justo arriba de la línea de frunce Y-Z y de nuevo hacia el revés de la labor en C. Retirar el hilo hacia un lado. Pasar ahora el extremo de la cinta por la tela en D y situarlo de modo que los pétalos queden aplastados contra la tela. Con el hilo blanco fijar el extremo de la cinta por detrás de los pétalos.

4 Poner un dedo, sin apretar, sobre la cinta en la línea A-D y tirar despacio del hilo de frunce para que el orillo quede encima de la línea. Luego coser el orillo en su sitio para completar los pétalos 1 y 2. Tirar despacio del hilo de frunce para asentar los pétalos y rematar.

5 Anclar el largo de la cinta cosida en E con hilo blanco, dar una puntada en X y en Y para fijarlos en F y fruncir y coser el pétalo 3 a lo largo de E-F. Salir con la aguja en G.

6 Doblar la cinta hacia delante siguiendo la costura de frunce al bies, pasar la aguja por el doblez en V y hacia el revés de la labor en G. Colocar un dedo sobre la cinta como antes y fruncir y sujetar la cinta a lo largo de la línea F-G para hacer el pétalo 4.

7 Anclar el extremo de la cinta en E para que quede justo delante del pétalo 3. Poner un dedo sobre la cinta y fruncirla, luego coserla en su sitio

con hilo blanco como antes. Rematar. Tirar del hilo de frunce para asentar los pétalos y rematar.

Flores 2 y 3

8 Bordar la flor 2 igual que la flor 1. Para la flor 3, hacer una costura en dos tiras de cinta siguiendo los diagramas 2 y 3, coser primero el lado estrecho de la cinta a lo largo de A-B, después hacer los otros tres pétalos siguiendo los pasos 5 a 7.

Pintar los pétalos

Nota: colocar el bordado sobre una plancha de espuma y, cuidando de no atravesar la cinta, utilizar alfileres de cabeza de vidrio para separar los pétalos ya hechos de los que se estén pintando (ver página 17).

9 Mezclar pintura para seda magenta con un poco de azul marino para obtener un rosa morado, luego añadir un toque de amarillo primario para hacer un "rosa pocha". Humedecer el pétalo 2 de la flor 1 desde el orillo. Diluir un poco de la pintura para aclararla y aplicarla a lo largo del orillo. Dejar secar. Repetir con el pétalo 2.

10 Hacer un tono más intenso para pintar los pétalos 3 a 5 de igual modo, dejando que se sequen antes de pintar el siguiente.

11 Añadir un poco más de pintura a la mezcla para obtener un tono algo más intenso, volver a humedecer el pétalo 3 y oscurecer la base del pétalo. Dejar secar y repetir con el pétalo 4. Dar más intensidad al tono y aplicar más pintura a la base del pétalo 5. Dejar secar.

12 Con el tono más oscuro, pintar 8 cm de la cinta de 13 mm crema para el capullo. Dejar secar y planchar.

Centro de las flores

13 Con cinta de 4 mm amarillo pálido, hacer dos puntos rasos flojos para rellenar el centro de cada flor. Con pintura para tela amarillo botón de oro pintarlos para darles un tono ligeramente más intenso.

Capullo

14 Con el trozo teñido de cinta de 13 mm, dar un punto raso de A a B, utilizando el ojo de una segunda aguja para darle forma de punta. Rematar. Luego, con cinta de 7 mm verde claro hacer un punto de cinta invertido a cada lado para el cáliz. Mezclar un poco de pintura para seda magenta y azul marino para obtener un morado intenso, humedecer el capullo y pintar la base. Dejar secar.

Tallos

15 Siguiendo la plantilla, hacer los tallos a punto raso con seis hebras de hilo verde y

coserlos por encima con una hebra del mismo color. Dejar espacio para bordar por detrás la hoja 5.

Hojas

16 Anclar la cinta de 13 mm verde claro en la base de la hoja 1 en A y, controlando la cinta con una segunda aguja, hacer un punto raso en B. Rematar. Bordar las hojas 3 y 4 también a punto raso y las hojas 2 y de la 5 a la 9 a punto de cinta centrado. Rematar cada hoja conforme se borda.

17 Mezclar pintura para tela azul cobalto y amarillo botón de oro para obtener un verde intenso, y con un pincel de punta fina pintar

unas finas nervaduras desde la base de cada hoja hasta la punta. Oscurecer los bordes de las hojas y dejar secar.

18 Humedecer una hoja con agua limpia para diluir ligeramente la pintura y conseguir efectos de luces y sombras: dejar más oscuras las zonas en sombra y casi sin pintura las partes salientes y curvadas. Pintar todas las hojas y luego el cáliz del capullo.

19 Con tres hebras de hilo verde, hacer los tallos de las hojas 4, 6 y 7 a punto raso.

20 Bordar las hojas 10 y 11 a punto de cinta, y la 12 a punto raso. Pintarlas como antes para completar el bordado.

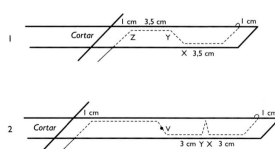

Coser las cintas para las flores.

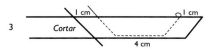

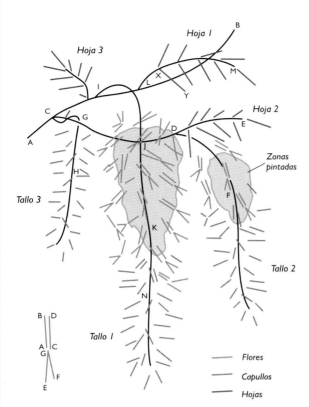

Hoja 3 · Hoja 1 · B · M · X · L · I · Y · C · G · Hoja 2 · A · D · E · Zonas pintadas · H · F · Tallo 3 · Tallo 2 · N · B · D · A · C · G · F · Tallo 1 · E

— Flores
— Capullos
— Hojas

Plantilla a la mitad de su tamaño real; ampliarla al 200%.
Transferir la línea de los tallos A-B y C-E. Marcar la unión
de los tallos laterales con otros tallos y a espacios regulares
hasta la punta; dibujar el contorno de las zonas pintadas;
cuando se hayan dibujado estas áreas, marcar las posiciones
de las flores principales en los tallos 1 y 2 (en morado en la
plantilla), guiándose por el diagrama. Dibujar suavemente
las líneas de los pétalos A-B y C-D y marcar con puntos E
y F. Volver a colocar la plantilla y marcar la posición de las
hojas y de los capullos. Dibujar con delicadeza las líneas de
conexión solo de los capullos, no de las hojas.

3 m de cinta de 7 mm blanca (n.° 03)

9 m de cinta de 4 mm blanca (n.° 03)

1 m de cinta de 7 mm verde claro (n.° 31)

1 m de cinta de 4 mm verde claro (n.° 31)

33 x 40 cm de tela de lino/algodón; hilo de bordar mouliné
verde claro (n.° 859) marrón (n.° 393) e hilo blanco a tono
con la tela de fondo; pintura para seda en magenta, azul
marino, amarillo primario y amarillo botón de oro;
pintura para tela en azul cobalto y amarillo botón de oro;
50 cm de cordel de jardinería en color natural.

Wisteria

La glicinia es una planta trepadora, con tallos que se retuercen,
se enrollan y a veces se enredan con sus largos racimos de
flores parecidas a las del guisante de olor. Son realmente
espectaculares cuando cubren una pared o trepan por un árbol.

Aunque no se nota a primera vista, la tela se ha pintado
por detrás de la parte principal del racimo de flores para dar
mayor profundidad; las cintas se han pintado a manchas en
tres tonos de morado antes de bordar con ellas. Las flores se
bordan con cinta de 4 y de 7 mm, combinando el punto raso
con el punto de cinta y el punto de margarita, y los tallos se
han hecho con cordel. Para completar la composición, se han
sombreado las flores abiertas.

Tallos

1 Humedecer un trozo de jabón y
mojar el cordel; luego pasar el jabón
a lo largo del cordel varias veces para
cubrirlo bien por todas partes. Dejar
secar.

2 Cortar un trozo de cordel de 14 cm
y deshacer parcialmente el retorcido.
Colocarlo a lo largo de A-B y coserlo
por encima con hilo a tono.

3 Cortar otro trozo de cordel de
14 cm y situar el extremo en C, debajo
del tallo principal A-B. Deshacer casi por
completo el retorcido del cordel para
obtener tres hebras. Dejar una de ellas
en C y llevar dos hasta D, luego dividirlas
y llevar una hasta E y una hasta F. Cortar
las puntas al bies en E y F y coser por
encima los dos tallos en su sitio. Llevar
la hebra que queda en C por delante y
después por detrás del tallo en G y bajar
hasta H. Cortarla a la medida y coserla
por encima en G.

4 Deshacer el retorcido y dividir el
tercer trozo de cordel. Poner dos
extremos detrás del tallo principal en I,
cortar uno a la medida de I-K y coserlo
por encima en su sitio, justo arriba
de J hacia K. Cortar y coser por encima
la otra hebra por el centro de la hoja 3.
Añadir una hebra más y pasarla por
delante del tallo principal como antes,
para el tallo L-M.

5 Hacer un hilo de tallo enhebrando
dos hebras de hilo verde claro y una
marrón, hacer un nudo en la punta y
salir con la aguja en K. Pasar una hebra
verde claro hacia el revés en N y las
otras dos hebras en la punta del tallo.
Coser por encima las hebras en su
sitio y rematarlas todas. Hacer de igual
manera los extremos de los tallos 2 y 3.

Pintar el fondo

6 Mezclar pintura para tela amarillo
botón de oro y azul cobalto para
obtener un verde intenso y pintar
suavemente partes de los tallos de
cordel para sombrearlos a lo largo.
Dejar secar.

7 Mezclar pintura para seda azul marino
y magenta para obtener dos tonos
de morado. Con un pincel pequeño,
fuerte y de punta recta, dar pinceladas
al azar por dentro de la zona marcada
y extenderlas y difuminarlas hacia los
bordes. Dejar secar.

Pintar las cintas

8 En un cuenco, mezclar un poco de
pintura para seda magenta con un toque
de azul marino y diluir para obtener un
rosa morado muy claro. Utilizarlos para
pintar a manchas la cinta de 7 mm blanca
(ver página 15).

9 Cortar la cinta de 4 mm blanca en
una de 3 m y tres de 2 m. Mezclar
pintura para seda magenta y azul marino
para obtener dos tonos de morado
pálido. Humedecer la cinta de 3 m y,
con un pincel fuerte, pintarla a manchas
dejando zonas sin pintar. Dejar secar.
Añadir más pintura a las mezclas para
que el color quede algo más intenso y
pintar una de las cintas de 2 m de igual
modo. Dejar secar. Hacer aún más
fuertes las dos mezclas y pintar otra
cinta de 2 m. Dejarla secar. Añadir luego
un poco más de magenta a una de las
mezclas y pintar la última cinta con los
tonos más contrastados. Dejar secar.

10 Mezclar pintura para seda azul
marino y amarillo primario para obtener
dos tonos de verde. Poner juntas las
cintas de 7 y de 4 mm de color verde
claro y pintarlas a manchas con los dos
colores, dejando zonas sin pintar. Dejar
secar. Planchar todas las cintas antes de
empezar a bordar.

Tallo 1

Nota: al bordar las flores, empezar en el centro arriba del tallo y trabajar hacia fuera y hacia abajo, bordando las flores alternativamente a un lado y otro.

// Cortar una tira de cinta de 7 mm teñida de morado y anclarla en A (ver diagrama). Hacer un punto de cinta a la derecha en B, dando forma a la punta con el ojo de una segunda aguja. Salir con la aguja en C y hacer un punto raso en D, situándolo de manera que quede debajo del borde enrollado del primer punto. Rematar.

Nota: el punto de cinta a la derecha se hace siempre a la izquierda de la flor, y para dos o tres flores, el punto de cinta a la izquierda se hace a la derecha de la flor; de este modo, el lugar donde se clava la aguja en el borde de la flor queda siempre en el centro de esta.

Nota: se utilizan cuatro tonos de morado de cinta de 4 mm para bordar los pétalos pequeños en la base de los pétalos principales; emplear los tonos más fuertes en la parte central del tallo y los dos más pálidos hacia fuera, para sugerir luces y sombras.

No cruzar la cinta por el revés de la labor; hacer los puntos muy juntos y rematar con frecuencia.

12 Siguiendo la plantilla y con una de las cintas de 4 mm teñida de morado, salir con la aguja en E y hacer un punto de margarita bastante flojo, clavando la aguja en F y anclando la presilla en G (ver página 35). Rematar.

13 Bordar el resto de las flores del tallo representadas en morado en la plantilla.

14 Todos los capullos son puntos rasos que se bordan de la base a la punta. Rellenar la parte superior del tallo guiándose por la fotografía y hacer las flores de más abajo como se indica en la plantilla. Remeter algunos puntos por debajo de las flores principales. Rematar con frecuencia; no cruzar la cinta por el revés de la labor. Variar los tonos de la cinta utilizada para que se vayan aclarando hacia abajo del tallo.

15 Enhebrar una aguja fina con una hebra de verde claro y una de marrón, hacer un nudo en la punta y bordar tallos a punto raso que unan los capullos con el tallo principal. No tensar demasiado los puntos.

Pintar las flores

16 Las flores se pintan de una en una. Diluir ligeramente un poco de pintura para seda amarillo botón de oro, humedecer el centro de los pétalos grandes dobles y aplicar un toque de color en la base con la punta de un pincel fino. Dejar secar.

17 Mezclar un poco de pintura para seda magenta con un toque de azul marino y diluirlo para obtener un malva rosado pálido. Humedecer y pintar el borde exterior de cada pétalo grande. Pintar el resto de las flores.

Completar los tallos

18 Bordar los tallos 2 y 3 igual que el 1.

Hojas

Nota: levantar un poco más las hojas por su borde exterior para sugerir su inclinación. Rematar después de cada punto.

19 Para la hoja 1, anclar en X una tira de cinta de 7 mm verde teñida y dar un punto de cinta en Y. Hacer de la misma forma los demás puntos a la derecha de la hoja, incluido el de la punta. Rematar. Bordar el otro lado de la hoja a punto raso, empezando en la base de la hoja. Rematar. Bordar la hoja 2 de igual modo.

20 Hacer la hoja 3 igual que la hoja 1, con cinta de 4 mm verde teñida. Rematar. Hacer tres pequeños puntos de cinta en las bases del tallo 3, de la hoja 1 y de la hoja 3.

21 Mezclar pintura para tela amarillo botón de oro con pintura para seda azul marino para obtener un verde intenso. Dejarlo sin diluir y, con un pincel fino, pintar las nervaduras de las hojas. Dejar secar.

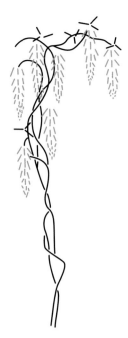

Plantilla a la mitad de su tamaño real; ampliarla al 200%.

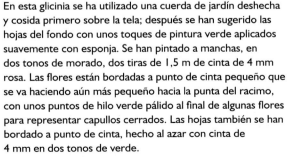

En esta glicinia se ha utilizado una cuerda de jardín deshecha y cosida primero sobre la tela; después se han sugerido las hojas del fondo con unos toques de pintura verde aplicados suavemente con esponja. Se han pintado a manchas, en dos tonos de morado, dos tiras de 1,5 m de cinta de 4 mm rosa. Las flores están bordadas a punto de cinta pequeño que se va haciendo aún más pequeño hacia la punta del racimo, con unos puntos de hilo verde pálido al final de algunas flores para representar capullos cerrados. Las hojas también se han bordado a punto de cinta, hecho al azar con cinta de 4 mm en dos tonos de verde.

Xeranthemum

Estas flores de vivos colores, comúnmente llamadas siemprevivas, tienen pétalos que parecen de papel; se pueden cortar, colgar para que se sequen y utilizar en decoraciones florales de invierno sin que pierdan color. Producen masas de flores y son las más luminosas de todas las variedades de siemprevivas, con sus colores que van del blanco y rosa muy claro hasta los más vivos rosas, morados y rojos.

Se bordan a punto de cinta con cinta de 4 mm lila, que se tiñe a manchas, se deja secar y se vuelve a teñir para darle un color intenso muy matizado. Es una flor fácil de hacer, pero hay que bordar los pétalos por orden todo alrededor y con cuidado de no cruzar la cinta por el centro de la flor.

Pintar la cinta para las flores

1 Cortar 1 m de cinta de 4 mm lila y reservar.

2 Humedecer el resto de la cinta de 4 mm lila, poner en un azulejo un poco de pintura para seda frambuesa y, sin diluirla, pintar con ella la cinta a manchas sueltas (ver página 15). Secar, planchar y volver a pintar la cinta de igual manera. Secar y planchar.

Flores

3 Empezar por la flor 1. Cortar una tira de cinta lila teñida de rosa, enhebrarla en una aguja grande y hacer un nudo en la punta. Salir con la cinta en la base del pétalo A y hacer un punto de cinta centrado en la punta. Manteniendo la cinta aplastada sobre la tela, salir con la aguja en la base del pétalo B y seguir bordando alrededor de la flor los pétalos marcados con rayas en la plantilla.

4 Hacer la segunda fila de pétalos, representados en rosa oscuro en la plantilla. Salir con la aguja por entre los pétalos de la primera fila y al bordar cada pétalo levantar la punta con una aguja para que queden ligeramente por encima de la primera fila.

5 Hacer la fila 3. Salir con la aguja en medio de la línea curva y, consultando la plantilla para situar la punta, hacer el pétalo de en medio a punto de cinta centrado. Con una aguja, levantar la punta del pétalo como antes. Hacer los demás pétalos de la fila 3 alternando un lado y otro.

6 Salir con la aguja justo debajo de la fila 3 y hacer la fila 4 de la misma forma. Rematar.

7 Bordar el resto de las flores.

Flor 1

B
A

A C E D
B

Capullo 1

4

3

2

● 2.ª fila
● 3.ª fila
● 4.ª fila

Plantilla a la mitad de su tamaño real; ampliarla al 200%. Transferir la posición de los tallos, hojas, capullos y pétalos (solo los que se indican con una raya y un punto rosa oscuro). Dibujar suavemente las líneas de los pétalos marcadas en la plantilla.

7 m de cinta de 4 mm lila (n.º 83)

1 m de cinta de 4 mm salvia (n.º 74)

1 m de cinta de 4 mm verde claro (n.º 31)

30 x 35 cm de tela de lino/algodón; hilo de bordar mouliné verde claro (n.º 859), verde hoja (n.º 216), arena (n.º 854), amarillo pálido (n.º 292) e hilo blanco a tono con la tela de fondo; pintura para seda en frambuesa, azul marino y amarillo primario.

Capullos

8 Enhebrar la cinta de 4 mm lila reservada (sin teñir), salir con la aguja en la base del pétalo A del capullo 1 y hacer un punto raso en la punta. Tensar suavemente la cinta por el revés para alargar la puntada y que el pétalo quede en punta. Bordar los demás pétalos siguiendo el orden indicado en la plantilla. Hacer el resto de los capullos.

9 Para los cálices, utilizar cinta de 4 mm salvia. Salir con la aguja en lo alto del tallo y hacer la hoja central a punto de cinta, pasando la aguja hacia el revés en la base del pétalo. Dar otro punto de cinta a cada lado, ligeramente inclinados. Rematar.

Tallos

10 Juntar un hilo con tres hebras de verde claro y una de verde hoja y enhebrarlo. Hacer un nudo en la punta. Salir con la aguja en 1 (en la base de la flor 1) y hacer un punto raso hasta 2, luego salir con la aguja en 3 y volver a pinchar en 4. Rematar. Hacer los demás tallos de igual modo.

Hojas

11 Mezclar pintura para seda azul marino y amarillo primario para obtener un verde azul intenso. Humedecer la cinta de 4 mm verde y pintarla a manchas (ver página 15). Dejar secar y planchar.

12 Hacer un nudo en una tira de la cinta verde teñida, salir con la aguja en la base de una hoja y hacer un punto de cinta en la punta. Rematar y bordar el resto de las hojas para completar el bordado.

Centro de la flor

13 Con una hebra de arena, una de amarillo pálido y una de verde, hacer un grupo de tres puntos de nudo de dos vueltas en medio de la flor de arriba; luego, hacer puntos de nudo de una vuelta todo alrededor del grupo para rellenar el centro de la flor.

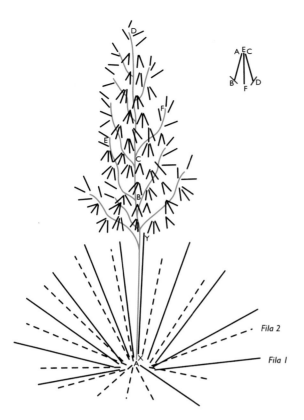

Plantilla a la mitad de su tamaño real; ampliarla al 200%. Transferir las posiciones de los tallos y de las hojas marcando puntitos, luego dibujar suavemente la parte inferior de las hojas marcadas con líneas continuas en la plantilla (para que no se vean las rayas a lápiz). Después de pintar el fondo y de bordar los tallos, volver a colocar la plantilla y transferir las flores y los capullos de tallos alternos. Levantar la plantilla y dibujarlos suavemente. Volver a poner la plantilla y repetir con las demás flores y capullos.

5 m de cinta de 4 mm blanca (n.º 03)

2 m de cinta de 4 mm verde suave (n.º 33)

4 m de cinta de 4 mm verde claro (n.º 31)

35 x 40 cm de tela de lino/algodón; hilo de bordar mouliné verde manzana suave (n.º 264) e hilo blanco a tono con la tela de fondo; pintura para seda en azul marino, amarillo primario y rojo amapola; pintura para tela en amarillo limón.

Yuca

La yuca crece a pleno sol y es una planta silvestre en las zonas del mundo cálidas y secas, como dunas de arena y desiertos. Resulta llamativa vista desde cualquier ángulo, con sus fuertes hojas rectas y en punta entre las que emerge un tallo central con una espiga de flores blancas en forma de campanillas.

Para aportar profundidad al bordado, se han pintado unas hojas en la tela de fondo antes de bordar las largas hojas a punto de cinta. Las flores se bordan luego haciendo puntos rasos a cada lado de un punto de cinta centrado; para dar movimiento al bordado, unas veces se bordan primero unos puntos, y otras veces, otros.

Pintar el fondo y el hilo de los tallos

1 Mezclar pintura para seda azul marino con pintura para tela amarillo limón para obtener dos tonos de verde: un verde intermedio y un verde azul. Con un lado del pincel, pintar las hojas desde la base del tallo afinando la raya hacia la punta. Empezar por pintar unas hojas como guía y añadir más poco a poco al azar, desde la base del tallo y con las puntas que queden por arriba y por debajo de las hojas marcadas.

2 Enrollar el hilo verde manzana suave en dos dedos, poner el rollito sobre un azulejo y pintarlo con las dos mezclas de verde. Dejar unas pequeñas zonas sin pintar; humedecer esas zonas para que el color se extienda hacia ellas. Desenrollar el hilo y colgarlo para que se seque.

Pintar la cinta

3 Mezclar pintura para seda azul marino y amarillo limón para obtener un verde amarillo, y añadirle un poco de rojo amapola para hacer un marrón. Diluir la mezcla con agua para que quede un crema muy pálido y probar el color sobre un papel blanco. Humedecer la cinta de 4 mm blanca y pintarla a manchas para colorearla ligeramente (ver página 15). Dejar secar y planchar.

4 Para la cinta de las hojas, mezclar pintura para seda azul marino y amarillo primario para obtener un verde intermedio y un verde azul más oscuro. Humedecer la cinta de 4 mm verde claro y la de 4 mm verde suave y teñirlas a manchas. Dejar que se sequen y plancharlas.

Tallos

5 Cortar dos tiras de 30 cm de hilo verde teñido, separar todas las hebras y juntar diez de ellas para formar el hilo del tallo. Hacer un nudo en una punta y enhebrarlo. Humedecer el hilo con agua limpia y frotar un trozo de jabón a lo largo de 15 cm desde el nudo.

6 Salir con la aguja en A y coser por encima todas las hebras en B. Dejar tres hebras a un lado y coser por encima las demás en C. De nuevo retirar tres hebras a un lado y pasar las otras cuatro hacia el revés en D. Coserlas en su sitio y rematar.

7 Enhebrar las tres hebras de B y pasarlas hacia el revés en E. Coserlas por encima en su sitio y rematar. Coser también las hebras restantes en C, pasarlas hacia el revés en F y rematar.

8 Bordar el resto de los tallos con tres hebras, rematando el hilo al terminar cada tallo.

Flores y capullos

Nota: bordar primero las flores y los capullos de los tallos más bajos, rematar y bordar las del tallo siguiente a la derecha. Seguir subiendo por la planta, terminando por las flores y los capullos de arriba. Bordar unas flores y capullos por debajo de los tallos, como se ve en la fotografía. Utilizar cinta de 4 mm teñida de crema.

Bordar los grupos de flores y capullos que estén juntos y rematar con frecuencia para no cruzar la cinta por el revés de la labor.

9 Para las flores de tres pétalos, salir con la aguja en A (ver diagrama) y hacer un punto raso hasta B, guiando la cinta con el ojo de una segunda aguja. Repetir en

C-D. Hacer un punto de cinta centrado de E a F por encima de los dos primeros puntos. Rematar. Bordar los capullos con un solo punto raso.

10 Cuando todas las flores y los capullos estén terminados, utilizar una sola hebra del hilo para tallos y bordar puntos rasos (no muy apretados) uniendo las flores y los capullos con los tallos (ver la fotografía para situarlos).

Hojas

Nota: todas las hojas son puntos de cinta a la izquierda, a la derecha y centrados, que se hacen en su mayoría retorciendo la cinta una vez. Rematar cada hoja al terminarla.

11 Enhebrar una tira de cinta de 4 mm verde suave y hacer un nudo en la punta. Salir con la aguja en X, retorcer una vez la cinta y hacer un punto de cinta centrado en Y. Rematar. Bordar las demás hojas de la fila 1 marcadas en la plantilla.

12 Con cinta de 4 mm verde teñida, bordar la segunda fila de hojas, luego hacer hojas más cortas para rellenar poco a poco la zona del centro.

Zantedeschia

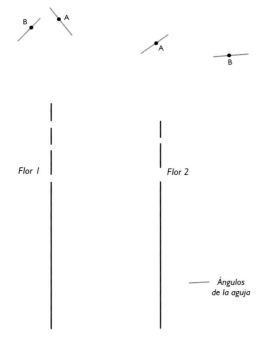

B · A

A

B

Flor 1   Flor 2

—— Ángulos
de la aguja

Plantilla a la mitad de su tamaño real; ampliarla al 200%. Transferir la posición de los tallos y los puntos de los dos pétalos.

1,5 m de cinta de 32 mm blanca (n.° 03)

38 x 40 cm de tela de lino/algodón; 10 x 10 cm de guata fina; amarillo (n.° 305) e hilo blanco a tono con la tela de fondo; pintura para seda en azul marino y amarillo primario; 25 cm de cordón tubular, de 4-5 mm de diámetro; 44 cm de alambre forrado de papel, de calibre 22; cinta adhesiva de 2 cm de ancho; silicona transparente o pegamento de PVA; tarrito con tapadera de rosca; tablero de médula.

A las calas les gusta el terreno húmedo, incluso el agua, y crecen a orillas de los estanques; también se encuentran silvestres en las laderas secas de Norteamérica y Sudamérica. Son las flores más elegantes y regias y parecen mirar al cielo como una fanfarria de trompetas, equilibradas por una masa de hojas verde brillante a sus pies. La espata blanca no es un pétalo, sino una bráctea que crece como prolongación del tallo.

El tallo y el centro amarillo (espádice o verdadera flor) se trabajan sobre un alambre que se forra con un cordón antes de trabajar con la cinta. Se utilizan dos tiras de cinta de 32 mm para hacer el tallo y la ancha espata que se abre en una única línea continua y lisa. Hay que dedicarle tiempo a esta flor, el resultado lo merece.

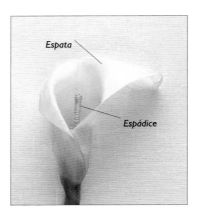

Espata

Espádice

Preparar tallos y espádices

1 Empezar por el tallo 1 (el tallo 2 se puede hacer después del paso 9). Cortar un trozo de alambre de 22 cm y, con la punta de unos alicates, doblar 2,8 cm de la punta hacia abajo. Inclinar luego ese extremo a unos 3 cm del doblez. Aplicar un poco de pegamento a la curva del alambre (ver diagrama A).

2 Cortar 50 cm de hilo amarillo, dejar un cabo de 10 cm y enrollar el hilo sobre la anterior sección con pegamento, dando cinco o seis vueltas. Doblar ahora la parte de alambre forrada con hilo, de manera que quede en lo alto (ver diagrama B). Apretar los tres alambres de arriba del tallo con los alicates y seguir enrollando sobre ellos el hilo amarillo, apretando las vueltas y procurando que queden lisas, para hacer el espádice. Anudar y cortar los hilos. No pegarlos, pero tomar otro hilo, dejar un cabo y enrollarlo como antes. Anudar y cortar los hilos a ras del nudo.

3 Aplicar un poco de pegamento al alambre justo debajo del espádice y pasar el alambre por el centro del cordón, dejando que el espádice asome por arriba. Presionar para fijar el cordón con el alambre.

4 Cortar 14 cm de cinta adhesiva y enrollarla bien fuerte, en diagonal, alrededor del cordón para evitar que se noten los surcos del cordón cuando el tallo esté forrado de cinta.

5 Cortar una pieza de guata de 10 x 4 cm. Aplicar un poco de pegamento arriba del tallo, justo debajo del espádice. Pegar el lado corto de la guata sobre el tallo cubriendo solo la base del hilo amarillo y enrollarlo dando dos vueltas apretadas. Darle otra vuelta y terminar de enrollar formando la zona bulbosa en la base de la flor. Con hilo blanco, dar unas puntadas por la base de la guata y enrollarlo luego dos o tres veces, apretándolo bien para sujetar la guata sobre el tallo. Rematar.

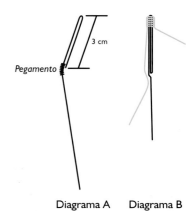

3 cm

Pegamento

Diagrama A   Diagrama B

Flor 1

Nota: evitar en todo momento arrugar la cinta.

6 Cortar dos tiras de cinta de 32 mm blanca: una de 18 cm y otra de 26 cm. Cortar los extremos de las cintas en un mismo ángulo. Planchar las dos cintas. Preparar una mezcla de pintura para seda azul marino y amarillo primario para obtener un verde como color base y probarlo sobre un resto de cinta. Conservarlo en un tarrito con tapadera.

7 Empezando por la cinta que forma el derecho de la espata, poner la tira de 18 cm a lo largo sobre el tablero de médula. Colocar encima el tallo, con la punta del espádice a 1 cm de la parte de arriba de la cinta. Centrar el espádice y situarlo con la parte más bonita hacia arriba. Clavar un alfiler en la guata, la cinta y el tablero para sujetarlo.

8 Volver los dos lados de la cinta por encima de la guata, apretando bien y colocando el lado izquierdo sobre el derecho y cruzando la cinta a 1,5 cm del borde superior de la guata. Con hilo blanco, dar dos o tres puntadas en el cruce para sujetar la cinta. Quitar el alfiler y levantar el tallo; enrollar ahora la cinta, bien tirante y lisa, hacia la parte de atrás. Coserla a dobladillo en su sitio por detrás del tallo para sujetarla. Rematar.

9 Poner el tallo sobre el tablero de médula, con la parte trasera de la espata hacia arriba y el espádice y la cinta en el borde del tablero. Clavar un alfiler arriba del tallo, por debajo de la guata, para sujetarlo en su sitio. Poner el tablero en el borde de la mesa para que la cinta quede colgando y colocar un peso encima del tablero para que no se mueva. Humedecer la cinta a lo largo y pintar el tallo hasta justo debajo de la zona bulbosa, utilizando la mezcla de pintura del paso 6. Ahora, separando la cinta de la guata, aplicar pintura sobre la zona bulbosa. Diluir ligeramente la pintura y pintar la zona almohadillada hasta la base del espádice. Volver a diluirla otro poco y pintar 1 cm más de cinta. Colocar el tablero de médula de manera que la cinta quede colgando por fuera, sin tocar nada, y dejarla secar.

10 Mientras se seca la cinta, hacer el tallo y el espádice de la flor 2 (pasos 1 a 5).

11 Empezar por hacer el lado izquierdo de la espata 1. Colocar los 26 cm de cinta extendidos sobre el tablero y poner encima el tallo pintado, a 1 cm del borde izquierdo de la cinta, como se ve en el diagrama C. Clavar dos alfileres de cabeza de vidrio en medio del tallo y en el tablero para sujetarlo. Quitar los alfileres y enrollar la cinta sobre el tallo, de nuevo cruzando el borde izquierdo sobre el derecho, de forma que el cruce quede por detrás de la parte izquierda de la espata y a 1 cm aproximadamente por debajo del cruce de la primera cinta. Seguir enrollando la cinta y anclarla por detrás de la flor en medio, 1 cm más abajo; el ancho de la cinta debe quedar liso sobre el frente de la flor. Coser a punto de dobladillo la parte de detrás del tallo cuidando de no arrugar la cinta. Rematar.

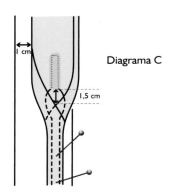

Diagrama C

Nota: el cruce del lado izquierdo de la espata debe quedar a la derecha, y el de la parte derecha de la espata debe quedar a la izquierda.

12 Pintar la parte izquierda de la espata igual que se pintó la parte derecha.

13 Planchar las dos partes de la espata con cuidado, desde la punta hasta el tallo. Tratar de no arrugar la cinta al hacerlo y de no dejar la marca de la plancha.

14 Poner la flor sobre la tela de fondo y comprobar que las dos cintas se solapan por

detrás y que la guata queda disimulada por delante. Rectificarlos si hiciera falta y prender la parte de detrás del tallo en su sitio por el revés de la tela, utilizando dos alfileres de cabeza de vidrio. Trabajando por el revés, coser la flor a la tela de fondo a punto de dobladillo, situando las puntadas a intervalos regulares a lo largo del tallo, ocultando la costura. Rematar, recortar la base del tallo y dejarla sin coser.

15 Con una aguja del n.º 13, hacer un agujero con cuidado por entre el tejido de la tela en A. No enhebrar aún la cinta. Probar a dar forma a la espata tomando la cinta de la derecha y enrollándola sin apretar sobre el ojo de una aguja del n.º 13, a 1 cm aproximadamente del punto A, con la inclinación indicada en la plantilla. Comprobar que el borde izquierdo de la espata queda ligeramente a la izquierda del espádice.

16 Repetir el paso 15, pero esta vez enhebrar la cinta en una aguja del n.º 13 y clavarla en la tela hacia el revés en A. Tirar de la cinta sobre una segunda aguja grande hacia la izquierda por el revés de la tela, para que quede una espata levantada y curvada, con el borde izquierdo justo a la izquierda del espádice y el borde derecho enrollado por debajo suavemente, como en la fotografía. Sujetar la cinta con hilo blanco, comprobando que sigue abierta hacia la izquierda.

17 Probar a dar forma a la espata 2 igual que se hizo con la espata 1 (paso 15), pero

esta vez haciendo el agujero de la tela en B. Enhebrar la cinta y dar forma a la espata, tirando del extremo de la cinta hacia la derecha y sujetándolo. Comprobar que el orillo derecho de la cinta queda alineado exactamente con el orillo izquierdo de la espata 1, sin espacio entre ellos.

Flor 2

18 Hacer la flor 2 igual que la 1, pero teniendo en cuenta que los puntos A y B están al lado contrario de la flor. Trabajar primero la parte izquierda de la espata, colocando la cinta abierta hacia la izquierda y tirando hacia la derecha por el revés de la labor, comprobando al mismo tiempo que el borde derecho de la cinta queda por detrás del espádice como antes. Para hacer la parte derecha de la espata, colocar la cinta por detrás y hacia abajo, alineada con el tallo para formar el borde enrollado; comprobar que casa con el borde de la primera espata formando una línea continua y, por tanto, una sola espata.

Estos lirios de agua son más pequeños y más fáciles de hacer que la cala grande; la espata se trabaja con una tira de cinta de 32 mm que se enrolla en torno a un espádice algo menor. Estas flores hechas con cinta blanca se convierten en versiones reducidas de la cala blanca.

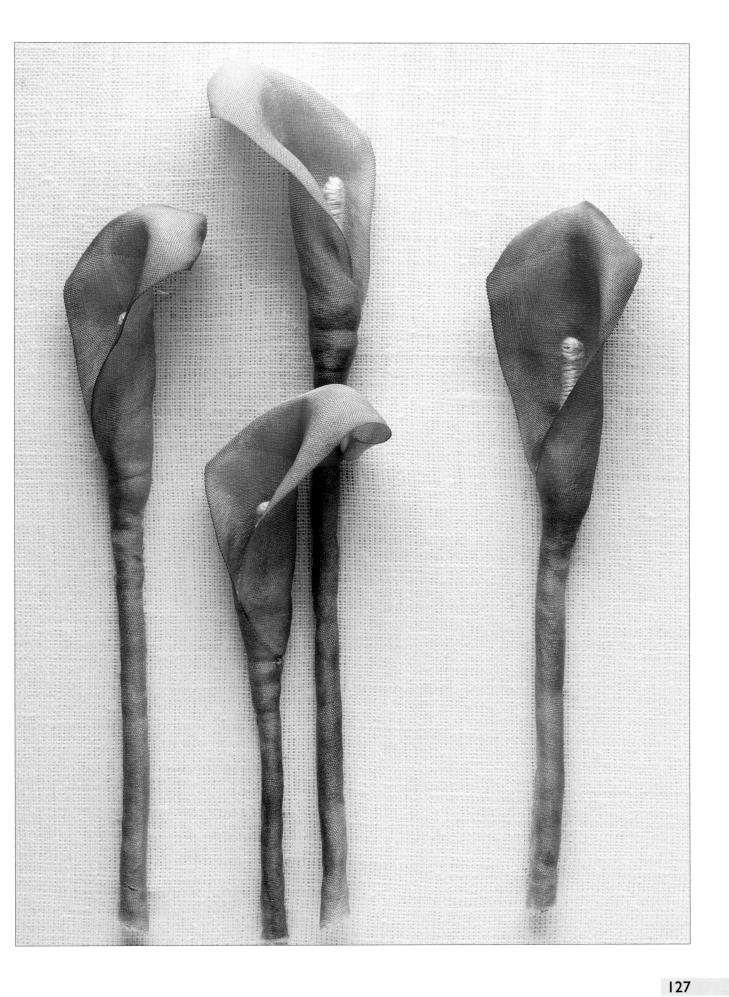

Índice

Las páginas que remiten
a proyectos figuran en
negrita.